Langenscheidt

Grundschulwörterbuch
Deutsch

L

Langenscheidt

Herausgegeben von der Langenscheidt-Redaktion

Bearbeiterin: Susanne Billes
Zeichnungen: Hans-Jürgen Feldhaus
Projektleitung: Wolfgang Worsch

Nur in der Ausgabe mit CD:
Text Hörspielszenen: Susanne Billes
CD-Produktion: toneart mediavision Augsburg
Sprecher/innen: Andreas Gröber, Julius Gröber, Kerstin Ingram,
Christian Pfadenhauer, Sylvia Steiner, Susanne Windisch,
Laura Worsch, Sandra Zöller

Umschlaggestaltung: Independent Medien-Design unter Verwendung
von Zeichnungen von Hans-Jürgen Feldhaus

Der Verlag bedankt sich bei den vielen Grundschullehrerinnen
und Grundschullehrern sowie Fachleuten aus Lehre und Forschung,
die beratend an der Erarbeitung dieses Wörterbuchs mitgewirkt haben.

Satz: Hagedorn mediendesign, Stuttgart
Druck: CS-Druck CornelsenStürtz, Berlin
Printed in Germany

Ausgabe mit CD
ISBN-13: 978-3-468-20408-1
ISBN-10: 3-468-20408-6

Ausgabe ohne CD
ISBN-13: 978-3-468-20409-8
ISBN-10: 3-468-20409-4

Einleitung

Für Kinder, deren Muttersprache nicht Deutsch ist, hat das Erlernen dieser Sprache verschiedene Aspekte. Zum einen ist es die Sprache, die sie im Alltag benutzen, um mit Freunden, Mitschülern, Nachbarn usw. zu reden und am Leben in ihrer deutschsprachigen Umgebung teilzunehmen. Deutsch in Sprache und Schrift zu beherrschen, ist damit der erste Schritt zur Integration.

Zum anderen ist Deutsch Unterrichtssprache in allen Schulfächern, d. h. die Kinder erwerben ihre Fertigkeiten in Fächern wie Rechnen oder Heimat- und Sachkunde in deutscher Sprache. Frühzeitig erworbene Sprachkompetenz ist damit ganz generell die Voraussetzung für ihren schulischen Erfolg.

Das **Langenscheidt Grundschulwörterbuch Deutsch** soll gerade den Kindern helfen, deren Herkunftssprache nicht Deutsch ist, sich in der deutschsprachigen Umwelt zu integrieren und in der Schule erfolgreich zu sein.

Das Wörterbuch ist in 19 Kapitel unterteilt, die den Lebensalltag der Kinder widerspiegeln und den daraus stammenden Wortschatz enthalten. Lebendig gestaltete Bild-Doppelseiten leiten die einzelnen Kapitel ein. (In der Ausgabe mit CD sind 17 dieser Kapitel zu unterhaltsamen Hörspielszenen umgesetzt, in denen der Gebrauch der Wörter aus dem Buch vertieft wird. Die Texte zu den Hörspielszenen können von der Langenscheidt-Homepage heruntergeladen werden.) Viele Illustrationen in den Wörterbucheinträgen sorgen dafür, dass die Kinder auch zunächst unbekannte Wörter schnell verstehen.

Alle Stichwörter werden mit einfachen Definitionen in ganzen Sätzen erklärt. Der in den Worterklärungen verwendete Wortschatz ist computerkontrolliert, d. h. alle Wörter sind im Buch selbst wiederum als Stichwörter enthalten. So bleibt keine Erklärung unverständlich. Dies gilt auch für die leicht verständlichen Anwendungsbeispiele, die die meisten Einträge ergänzen. Bedeutungsgleiche Wörter und Wortzusammensetzungen stehen am Ende eines Eintrags.

Nur in der Ausgabe mit CD:
Beim Anhören der CD sollten die Kinder die jeweilige Doppelseite aus dem Buch mit der entsprechenden Szene vor sich haben. Anschließend können die Kinder die Szene selbst weiterspielen oder sie befassen sich unter Anleitung mit dem im folgenden Kapitel dargestellten Wortschatz.

Wir wünschen allen, die mit diesem Wörterbuch Deutsch lernen oder unterrichten, viel Spaß und Erfolg.

LANGENSCHEIDT VERLAG

Inhalt

Meine Familie

Großmutter

Großvater

Vater

Mutter

Hund

Katze

Schildkröte

Baby

Junge

Zwillinge

Mädchen

Eltern

klettern

ähnlich

Sachen oder Menschen
sind ähnlich, wenn es viel gibt,
was bei ihnen gleich ist:
Die Zwillinge sind sich sehr
ähnlich.

das Baby, *die Babys*

Babys sind sehr
kleine Kinder, die noch
nicht laufen und
sprechen können:
Tante Elisabeth hat
ein Baby. Das Baby heißt Jan.

der Bruder, *die Brüder*

Ein Junge, der die gleichen
Eltern hat wie du, ist dein
Bruder: Ich habe zwei kleine
Brüder, Adrian und Daniel.

die Eltern

Deine Mutter und
dein Vater sind
deine Eltern:
Das sind meine
Eltern.

erwachsen

Man ist erwachsen, wenn man
nicht mehr größer wird und zum
Beispiel heiraten darf: Mein
Freund Joschko hat einen
erwachsenen Bruder.
= *groß*

die Familie, *die Familien*

Eltern und ihre
Kinder sind
eine Familie.
Omas und Opas,
Onkel und Tanten
und ihre Kinder gehören auch
zur Familie: Auf dem Bild siehst
du meine Familie.

die Frau, *die Frauen*

Wenn ein Mädchen
erwachsen wird, wird
es eine Frau. Frauen
können Kinder
bekommen: Mama ist
eine Frau. Sie ist auch
Papas Frau, das heißt,
sie sind verheiratet.

gleich

Alles, was gleich
ist, ist nicht
anders: Adrian
und Daniel sind gleich
angezogen.

die Großmutter, *die Großmütter*
Die Mutter deines Vaters oder deiner Mutter ist deine Großmutter.

der Großvater, *die Großväter*
Der Vater deines Vaters oder deiner Mutter ist dein Großvater.

hallo
Man sagt „hallo", wenn man jemanden trifft: Hallo, ich bin Hannah und wer bist du?

heiraten
Wenn ein Mann und eine Frau heiraten, dann wollen sie für immer zusammen sein. Sie können dann den gleichen Nachnamen bekommen: Willst du auch einmal heiraten und Kinder haben?

heißen
Wie dein Name ist, so heißt du: Ich heiße Hannah. Ich hatte mal einen Hasen, der Mümmel hieß.

der Hund, *die Hunde*
Hunde leben bei Menschen im Haus. Sie sind Freunde, die mit uns spazieren gehen und spielen: Mein Hund heißt Hexi.

der Junge, *die Jungen*
Jungen sind Kinder, die einmal Männer werden: Jan ist ein Junge.

die Katze, *die Katzen*
Katzen leben bei Menschen im Haus und fressen gern Mäuse: Tante Elisabeth hat eine Katze. Die Katze heißt Felix.

das Kind, *die Kinder*
Ein Kind ist ein junger Mensch, der noch nicht erwachsen ist: Wie viele Kinder sind in deiner Klasse?

klettern
Wenn du auf
einen Baum willst,
musst du klettern:
Daniel und Adrian
sind auf den Baum
geklettert.

das Mädchen, *die Mädchen*
Mädchen sind Kinder,
die einmal Frauen
werden: Ich bin ein
Mädchen, Adrian und
Daniel sind Jungen.

die Mama, *die Mamas*
Viele Kinder sagen
Mama zu ihrer Mutter:
Meine Mama trägt
eine Brille.

der Mann, *die Männer*
Wenn ein Junge
erwachsen wird, wird
er ein Mann. Männer
können keine Kinder
bekommen: Papa und
Onkel Michael sind
Männer. Papa ist
Mamas Mann, das heißt, sie sind
verheiratet.

der Mensch, *die Menschen*
Menschen
tragen Kleider
und leben
meistens in
Häusern.
Du und ich, wir sind Menschen,
Hunde und Katzen sind Tiere:
In unserer Stadt leben viele
Menschen.

die Mutter, *die Mütter*
Mütter sind Frauen,
die Kinder haben:
Meine Mutter hat
drei Kinder. Oma ist
Papas Mutter.

der Name, *die Namen*
Dein Name ist das Wort, das
man sagt, wenn man von dir
oder mit dir spricht. Auch
Sachen haben Namen: Mein
Name ist Hannah Tengler, der
Name meines Hundes ist Hexi.
Welchen Namen hat diese Stadt?
Nachname: der Name, der bei
einer Familie gleich ist: Unser
Nachname ist Tengler.
Vorname: der Name, der bei dir
anders ist als bei deinen
Brüdern und Schwestern: Ich
heiße mit Vornamen Hannah.

natürlich
> **Du sagst „natürlich", wenn du erwartet hast, dass etwas geschieht oder so ist:** Natürlich liest Mama wieder ein Buch, sie liest doch immer!

die Oma, *die Omas*
> **Viele Kinder sagen zu ihrer Großmutter Oma:** Oma ist Papas Mutter. Meine Oma und mein Opa sind schon alt.

der Onkel, *die Onkel*
> **Ein Onkel ist der Bruder deiner Mutter oder deines Vaters. Er kann auch der Mann einer Schwester von ihnen sein:** Onkel Michael ist Papas Bruder.

der Opa, *die Opas*
> **Viele Kinder sagen zu ihrem Großvater Opa:** Opa ist Papas Vater.

der Papa, *die Papas*
> **Viele Kinder sagen zu ihrem Vater Papa:** Das ist mein Papa.

rufen
> **Wenn du etwas rufst, dann hört man es auch, wenn man nicht nah bei dir ist:** Papa hat gerufen: „Adrian und Daniel, kommt zu mir, aber schnell!"

die Schildkröte, *die Schildkröten*
> **Schildkröten sind Tiere mit kurzen Beinen, die nur langsam kriechen und nicht schnell laufen können:** Oma hat eine Schildkröte. Die Schildkröte heißt Paula.

die Schwester, *die Schwestern*
> **Ein Mädchen, das die gleichen Eltern hat wie du, ist deine Schwester:** Tante Barbara und Mama sind Schwestern.

der Sohn, *die Söhne*
Ein Junge ist der
Sohn seiner Eltern:
Jan ist Tante
Elisabeths Sohn.

die Tante, *die Tanten*
Eine Tante ist die
Schwester deiner
Mutter oder deines
Vaters. Sie kann
auch die Frau
eines Bruders
von ihnen sein: Ich habe zwei
Tanten. Tante Barbara ist Mamas
Schwester und Tante Elisabeth ist
Onkel Michaels Frau.

die Tochter, *die Töchter*
Ein Mädchen ist die
Tochter ihrer Eltern:
Meine Eltern haben zwei
Söhne und eine Tochter.

der Vater, *die Väter*
Väter sind
Männer, die
Kinder haben:
Mein Vater hat
drei Kinder.
Opa ist Papas Vater.

verheiratet
Man ist ver-
heiratet, wenn
man jemanden
heiratet und bei
ihm bleibt:
Mama und Papa sind miteinander
verheiratet. Tante Barbara ist
nicht verheiratet.

der Zwilling, *die Zwillinge*
Zwillinge haben
die gleichen
Eltern und sind
am gleichen
Tag geboren:
Daniel und Adrian sind Zwillinge.

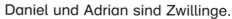

Wer? Wem? Wen?...

wer

Ich bin Hannah**, wer** bist du?
Weißt du**, wem** Felix gehört?
Wen kennst du noch von meiner
Familie?

ich

Ich bin Hannah. Sagst du **mir,**
wer du bist? Du kennst **mich** ja
jetzt schon ein bisschen.

du

Wer bist **du?** Gefällt **dir** das
Buch? Ich würde **dich** gerne mal
treffen.

er

Das ist mein Onkel Michael. **Er**
ist Bauer. **Ihm** gehören sehr viele
Tiere. Wir sehen **ihn** oft.

sie

Das ist Tante Barbara**, sie** ist
Mamas Schwester. Ich habe **ihr**
gestern einen Brief geschrieben.
Ich habe **sie** sehr gern.

es

Schau mal, mein Fahrrad**, es**
ist ganz neu. Mit **ihm** komme
ich schneller in die Schule.
Ich habe **es** zum Geburtstag
bekommen.

wir

Wir sind eine große Familie.
Oma und Opa leben bei **uns** im
Haus. Tante Barbara schreibt
uns oft.

ihr

Wie viele Kinder seid **ihr** in
eurer Klasse? Sind bei **euch**
mehr Jungen oder mehr
Mädchen? Schimpft euer
Lehrer **euch** oft?

sie

Aischa und Joschko sind meine
Freunde. **Sie** kommen oft zu
mir und dann spiele ich mit
ihnen.
Ich habe **sie** beide sehr gern.

Mein Zuhause

Badezimmer

Schlafzimmer

Reihenhaus

Wohnzimmer

Küche

Fernseher

Schlüssel

Waschbecken

Telefon

Dusche

Dach

Toilette

Garten

Sofa

Nachbarn

15

abschließen
> **Wenn du eine Tür abschließt, kann man sie nur mit einem Schlüssel wieder öffnen:** Schließ ab, wenn du aufs Klo gehst. Hat Papa das Auto abgeschlossen?

die Adresse, *die Adressen*
> **Deine Adresse, das sind der Ort, die Straße und die Nummer des Hauses, wo du wohnst:** Gibst du mir bitte deine Adresse?
> *= die Anschrift*

arm
> **Wer arm ist, hat nicht genug Geld für Essen und Kleider:** Die ärmsten Menschen haben kein Zuhause.

das Bad, *die Bäder*
> **Das Bad ist der Raum, in dem man sich wäscht und Zähne putzt:** Geh ins Bad und wasch dir die Hände.
> *= das Badezimmer*

die Badewanne, *die Badewannen*
> **In der Badewanne kann man im Wasser sitzen und sich am ganzen Körper waschen:** Mama hat Wasser in die Badewanne gelassen.
> *= die Wanne*

bequem
> **Betten, Stühle und Kleider sind bequem, wenn man sich gut fühlt, wenn man sie benutzt:** Das Sofa ist sehr bequem. Sitzt ihr auch alle bequem?

das Dach, *die Dächer*
> **Häuser haben oben ein Dach, das sie vor Regen und Schnee schützt:** Im Zimmer unter dem Dach hat Mama ihre alten Bücher.
> *= das Hausdach*

deutsch
> **Was aus Deutschland kommt oder zu Deutschland gehört, ist deutsch, auch die Sprache und die Menschen:** München ist eine deutsche Stadt. Ich bin Deutsche. Aischa, sprichst du mit deinen Eltern deutsch?

Deutschland

Deutschland ist ein Land in der Mitte Europas: Aischas Familie wohnt schon lange in Deutschland.

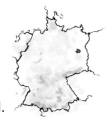

das Dorf, *die Dörfer*

Dörfer sind kleiner als Städte: Onkel Michael lebt in einem Dorf. Auf dem Dorf gibt es Bauernhöfe.

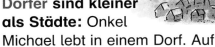

durchsichtig

Wenn etwas durchsichtig ist, dann kann man sehen, was hinter ihm ist: Fenster sind durchsichtig.

die Dusche, *die Duschen*

In der Dusche kommt das Wasser, mit dem man sich wäscht, von oben: Nach dem Sport geht Adrian unter die Dusche.

Europa

Europa heißt der Teil der Erde, zu dem auch Deutschland gehört: In vielen Ländern Europas zahlt man mit Euro.

das Fenster, *die Fenster*

Durch die Fenster kann man nach draußen sehen. So kommt auch Licht ins Haus: Daniel, mach bitte mal das Fenster auf, hier ist es so heiß.

der Fernseher, *die Fernseher*

Im Fernseher siehst du Bilder, die sich bewegen, und hörst, was die Menschen sprechen und was geschieht: Daniel sitzt zu viel vor dem Fernseher.
= *der Fernsehapparat*

der Freund, *die Freunde*

Ein Freund ist jemand, mit dem du gerne spielst und zusammen bist: Joschko ist ein guter Freund von mir. Ich gehe gern mit meinen Freunden ins Kino.

die Freundin, *die Freundinnen*

Eine Freundin ist ein Mädchen, mit dem du gern spielst und zusammen bist: Aischa ist meine beste Freundin.

der Frieden
Frieden **ist, wenn kein Krieg ist:**
Die meisten Menschen wünschen
sich Frieden.

das Handtuch, *die Handtücher*
Nach dem Schwimmen
oder Waschen benutzt
man ein Handtuch,
um trocken zu werden.

der Gang, *die Gänge*
Gänge **sind meistens**
lang und schmal und
haben Türen zu den
Zimmern: Lass deine
schmutzigen Schuhe im Gang.
= *der Flur*

das Haus, *die Häuser*
Menschen wohnen in Häusern.
Jedes Haus **hat Wände,**
Fenster, Türen und ein Dach:
Joschko wohnt in einem großen
Haus mit vielen Wohnungen.
+ *nach Hause* **(= zu der**
Adresse, wo du wohnst); *zu*
Hause **(= da, wo du wohnst)**

die Garage, *die Garagen*
Garagen **sind Räume**
für Autos: Mama fährt
das Auto in die Garage.

der Keller, *die Keller*
Der Keller **ist der**
Teil des Hauses,
der unter der Erde
ist: Ich soll Kartoffeln
aus dem Keller holen.

der Garten, *die Gärten*
Viele Häuser haben
einen Garten **mit**
Rasen, Blumen
und Bäumen: Wir
spielen gern im Garten.

klingeln
Wenn Leute zu uns kommen,
dann klingeln **sie an der Tür.**
Auch das Telefon und der
Wecker können klingeln:
Es hat geklingelt, mach doch
mal die Tür auf.

die Gemeinde, *die Gemeinden*
Gemeinden **sind Dörfer oder**
kleine Städte oder die
Menschen, die dort wohnen:
Unsere Gemeinde hat keine
eigene Schule.

das Klo, *die Klos*
Wenn du am Abend viel trinkst, musst du in der Nacht aufs Klo: Wasch dir die Hände, wenn du auf dem Klo warst.
= die Toilette

kommen
1 Wenn du zu einem Freund gehst, kommst du zu ihm: Aischa, kommst du heute Nachmittag zu mir zum Spielen? Joschko ist heute nicht in die Schule gekommen.
2 Du kommst aus dem Land oder der Stadt, wo du geboren bist oder wo du wohnst: Aischas Eltern kommen aus der Türkei, aber Aischa ist in Deutschland geboren.

der Krieg, *die Kriege*
Krieg ist, wenn Länder oder ganz viele Menschen Streit haben. Im Krieg verlieren sehr viele Menschen ihr Zuhause oder ihr Leben: Joschkos Familie ist nach Deutschland gekommen, weil in Bosnien Krieg war.

die Küche, *die Küchen*
Die Küche ist der Raum, in dem das Essen gemacht wird: Wir essen in der Küche.

der Kühlschrank,
die Kühlschränke
Im Kühlschrank ist es kalt und das Essen bleibt lange frisch: Stell die Milch bitte in den Kühlschrank.

das Land, *die Länder*
Es gibt auf der Erde viele Länder. Die Menschen dort sprechen viele verschiedene Sprachen. Das Land, in dem meine Familie lebt, heißt Deutschland.: „Aus welchem Land kommt Joschko?" – „Aus Bosnien."

leben
1 Menschen, Tiere und Pflanzen leben, Sachen leben nicht: Leben deine Omas und Opas noch? Schildkröten leben sehr lange.
2 Wo unsere Wohnung oder unser Haus ist, da leben wir: Aischas Oma lebt in der Türkei. Jan lebt auf einem Bauernhof.
= wohnen

der Meter, *die Meter*
Entfernungen und Größen misst
man in Metern: Unser Haus ist
12 Meter lang, 9 Meter breit und
10 Meter hoch.
Kilometer: 1000 Meter sind 1
Kilometer.
Zentimeter: 100 Zentimeter sind
1 Meter.

die Miete, *die Mieten*
Wenn das Haus oder die
Wohnung, wo ihr wohnt, nicht
deiner Familie gehört, dann
müsst ihr Miete zahlen: Wie viel
Miete zahlt ihr?

mieten
Wenn man ein Haus oder eine
Wohnung mietet, darf man dort
wohnen. Man zahlt dann jeden
Monat Miete: Unser Haus gehört
uns nicht, es ist nur gemietet.

der Nachbar, *die Nachbarn*
Die Leute, die
neben uns
oder in unserer
Nähe wohnen,
sind unsere
Nachbarn: Habt ihr
nette Nachbarn?

die Nachbarin, *die Nachbarinnen*
Eine Frau, die in deiner Nähe
wohnt, ist deine Nachbarin:
Wenn wir in Urlaub fahren, gießt
eine Nachbarin unsere Blumen.

der Ort, *die Orte*
Ein Ort ist ein Dorf oder eine
Stadt: In welchem Ort wohnst
du?
Wohnort: der Ort, wo man
wohnt: Wie heißt dein Wohnort?

der Rasen
In Parks und
Gärten gibt
es viel Rasen.
Man kann auf
Rasen gut Ball
spielen, weil das Gras immer
kurz ist.
+ *Rasen mähen* (= das Gras
schneiden)

der Raum, *die Räume*
In Häusern gibt es Räume.
Jeder Raum hat Wände und
eine Tür: Tante Barbaras
Wohnung hat vier Räume:
Küche, Bad, Wohnzimmer
und Schlafzimmer.

reich

Wer reich ist, hat viel Geld:
Reiche Leute wohnen in großen,
schönen Häusern.

die Reihe, *die Reihen*

Mehrere Sachen, Menschen
oder Tiere nebeneinander oder
hintereinander sind zusammen
eine Reihe: In einer Hecke stehen
die Sträucher in einer Reihe.

das Reihenhaus,

die Reihenhäuser
Reihenhäuser
werden so
nebeneinander
gebaut, dass kein Platz
zwischen ihnen ist.

der Schlüssel, *die Schlüssel*

Mit Schlüsseln
schließt man
Türen ab: Mama
findet ihre Schlüssel nicht.

die Seife, *die Seifen*

Damit du richtig
sauber wirst, wenn
du dich wäschst,
benutzt du Seife.

der Sessel, *die Sessel*

Auf Sesseln kann
man sehr bequem
sitzen: Papa sitzt
beim Fernsehen
immer im Sessel.

das Sofa, *die Sofas*

Auf Sofas kann
man bequem
sitzen oder liegen: Mama legt
sich zum Lesen gern aufs Sofa.

die Spinne, *die Spinnen*

Spinnen sind kleine
Tiere mit acht Beinen:
Ich habe keine Angst vor Spinnen.

die Stadt, *die Städte*

In Städten gibt es viele Häuser.
Sehr viele Menschen wohnen
und arbeiten dort: Berlin ist die
größte Stadt Deutschlands.

der Strauß, *die Sträuße*

Blumen, die man
zusammen in der
Hand hält oder in eine
Vase stellt, sind ein
Strauß: Papa schenkt Mama oft
einen Strauß Blumen.

die Taste, *die Tasten*
Computer und Telefone haben Tasten, auf die man drückt, damit etwas geschieht: Wenn du diese Taste drückst, schaltest du den Computer aus.

die Treppe, *die Treppen*
Besonders in Häusern gibt es Treppen. Man kann auf ihnen nach oben und nach unten gehen.

der Teil, *die Teile*
Alle Teile zusammen sind etwas Ganzes: Fenster, Türen, Dach und Wände sind Teile eines Hauses.

die Tür, *die Türen*
In ein Haus oder Zimmer kommt man durch die Tür. Auch Schränke und Autos haben Türen: Mach bitte die Tür zu.

das Telefon, *die Telefone*
Am Telefon kann man mit Leuten sprechen, die sehr weit weg sind: Mama komm, Tante Barbara ist am Telefon!

die Vase, *die Vasen*
Blumen stellt man in Vasen mit Wasser. Dann bleiben sie frisch.

die Telefonnummer, *die Telefonnummern*
Wenn du jemanden am Telefon sprechen willst, musst du seine Telefonnummer wählen: Welche Telefonnummer habt ihr?

wählen
Du wählst eine Telefonnummer, wenn du die Tasten mit den richtigen Zahlen drückst: Wenn du die Feuerwehr brauchst, musst du 112 wählen.

der Teppich, *die Teppiche*
Teppiche legt man auf den Boden. Das ist weich und sieht schön aus: Hexi schläft gern auf dem Teppich vor meinem Bett.

das Waschbecken, *die Waschbecken*
Am Waschbecken wäschst du dir die Hände und putzt deine Zähne.

der Wasserhahn, *die Wasserhähne*
Wenn du einen Wasserhahn öffnest, kommt Wasser aus ihm.

wohnen
Du wohnst dort, wo du meistens schläfst und deine Sachen hast: Peters Vater wohnt in Österreich. Peter wohnt bei seiner Mutter in München.
= leben

die Wohnung, *die Wohnungen*
Zu Wohnungen gehören meistens mehrere Zimmer: Tante Barbara lebt allein in ihrer Wohnung.

das Zimmer, *die Zimmer*
Zimmer sind Räume in einem Haus. Wir spielen, schlafen oder arbeiten in Zimmern: Tante Barbaras Wohnung hat zwei Zimmer: Schlafzimmer und Wohnzimmer. Gehen wir in mein Zimmer, spielen?
Kinderzimmer: **ein Zimmer, in dem Kinder schlafen und spielen**
Schlafzimmer: **das Zimmer, in dem deine Eltern schlafen**
Wohnzimmer: **das Zimmer, in dem sich die Familie zum Lesen, Fernsehen, Reden und Spielen trifft**

das Zuhause
Dein Zuhause ist das Haus, die Wohnung oder der Ort, wo du lebst und gerne bist: Am Ende des Urlaubs freuen wir uns immer auf unser Zuhause.

Mein Zimmer, meine Sachen

Puppe

Spiel

Bett

Lampe

Handy

CD

Computer

Schrank

Regal

Stuhl

Kassette

Radio

Teddy

Spielzeug

die Anlage, *die Anlagen*
Anlagen machen
Musik (mit Radio,
CDs oder Kassetten):
Mama ruft: „Mach die
Anlage leiser, man
hört die Musik ja im
ganzen Haus!"
= die Stereoanlage, Musikanlage

---

ausschalten
Wenn du eine Lampe
ausschaltest, ist das Licht
aus. Wenn du eine Anlage
ausschaltest, ist die Musik
aus:
Papa schaltet die Heizung aus,
wenn er ins Bett geht.
= abschalten, ausmachen

---

benutzen
Wenn du etwas benutzt,
nimmst du es und tust etwas
mit ihm: Hast du zum Waschen
auch Seife benutzt? Das T-Shirt
ist frisch gewaschen und noch
nicht benutzt.

---

das Bett, *die Betten*
Menschen legen sich
zum Schlafen in
Betten: Um wie
viel Uhr musst du
ins Bett? Mama ist
krank und bleibt heute im Bett.

der Boden, *die Böden*
Der Boden ist
unten. Wir
gehen und
stehen auf ihm:
Hexi schläft auf dem Boden vor
meinem Bett.

---

die CD, *die CDs*
Ich habe viele
CDs mit Musik
und Geschichten: Willst du mal
meine neue CD hören?

---

der Comic, *die Comics*
Ein Comic ist eine
Geschichte in
vielen Bildern.
Viele Comics sind
lustig.

---

der Computer, *die Computer*
Computer können
gut rechnen. Mit
Computern kann
man spielen und
arbeiten: Das Bild
habe ich am
Computer gemalt.
= der Rechner

die Decke, *die Decken*

**1 Zimmer haben oben eine Decke.
An der Decke hängen oft Lampen:** Da ist eine Spinne an der Decke.
= die Zimmerdecke

2 Im Bett hat man eine Decke, damit man in der Nacht nicht friert: Wer ist da unter meiner Decke? Hexi, das darfst du doch nicht!
= die Bettdecke

eigen

Was dir gehört, sind deine eigenen Sachen: Ich habe ein eigenes Zimmer. Aischa leiht mir oft ihre Schere, wenn ich meine eigene nicht finde.

einschalten

Wenn du eine Lampe einschaltest, ist das Licht an. Wenn du eine Anlage einschaltest, kannst du Musik hören: Es ist kalt hier, schalte bitte die Heizung ein.
= anschalten, anmachen

flach

Etwas ist flach, wenn nichts nach oben steht: Ich liege beim Lesen gern flach auf dem Boden.

geheim

Was kein anderer wissen soll, ist geheim: Du darfst mein Tagebuch nicht lesen, das ist geheim!

das Geheimnis, *die Geheimnisse*

Von deinen Geheimnissen soll kein anderer wissen: Erzähl das keinem, das ist ein Geheimnis!

gehören

1 Wenn dir etwas gehört, dann darf es dir keiner nehmen: Das Buch gehört Joschko, aber ich darf es lesen.
2 Etwas gehört zu etwas anderem, wenn es ein Teil von ihm ist oder zusammen mit ihm benutzt wird: Zu unserem Haus gehören sechs Zimmer. Welcher Schlüssel gehört zu dieser Tür?

das Handy, *die Handys*
Handys **sind Telefone,
die man mitnehmen
kann, wenn man aus
dem Haus geht.**

die Kiste, *die Kisten*
**In Kisten kann man
Sachen tun:** In der
Kiste ist Spielzeug.
= die Box

hängen
**1 Bilder kann man
an die Wand und
Lampen an die Decke**
hängen: Ich habe mir
ein Bild von den Boys
an die Wand gehängt.
**2 Wenn Bilder an der Wand und
Lampen an der Decke** hängen,
**bleiben sie dort und fallen nicht
zu Boden:** Das Bild von den Boys
hat früher in Aischas Zimmer
gehangen, dann hat sie es mir
geschenkt.

die Lampe, *die Lampen*
**Lampen geben Licht,
wenn es dunkel ist:**
Es wird schon dunkel,
mach bitte die Lampe an.

leihen
Wenn ich dir etwas leihe
**(oder wenn du dir etwas von
mir** leihst**), dann darfst du es
benutzen, bis ich es wieder
brauche:** Die CD hat mir Aischa
geliehen.

die Kassette, *die Kassetten*
**Ich habe viele
Kassetten mit
Musik und
Geschichten:** Wollen wir
zusammen eine Kassette hören?

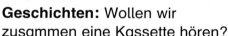

liegen
Wenn du liegst**, ist dein ganzer
Körper flach am Boden oder im
Bett:** Hexi hat heute Vormittag in
meinem Bett gelegen und
geschlafen.

das Kissen, *die Kissen*
**Kissen sind weich.
Man kann den
Kopf auf sie legen
oder sich zum Beispiel
auf sie setzen:** Ich habe mehrere
Kissen in meinem Bett.

die Nachrichten
**Im Fernsehen und im Radio
kommen Nachrichten über das,
was hier und in anderen
Ländern geschehen ist:** Im
Radio kommen zu jeder Stunde
Nachrichten.

der Platz, *die Plätze*
  1 Da, wo etwas ist oder sein sollte, ist sein Platz: Stell die Bücher wieder an ihren Platz.
  2 Wo nichts ist, aber etwas sein könnte, ist noch Platz: Ist im Schrank genug Platz für diese Sachen?

die Sache, *die Sachen*
  Sachen kann man anfassen. Meistens gehören sie jemandem. Ich habe viele Sachen: Sachen zum Anziehen, zum Spielen, für die Schule, …: Mama will, dass ich meine Sachen aufräume.

die Puppe, *die Puppen*
  Eine Puppe sieht aus wie ein kleiner Mensch: Ich spiele nicht mehr mit Puppen.

schalten
  Du kannst deine Anlage lauter und leiser schalten, damit die Musik lauter oder leiser wird. *= machen*

das Radio, *die Radios*
  Im Radio kann man Musik und Nachrichten hören: Papa hört immer die Nachrichten im Radio.

schief
  Wenn etwas schief ist, ist es auf einer Seite höher als auf der anderen: Das Bild hängt schief.

das Regal, *die Regale*
  Regale sind vorne offen, so dass man sieht, was in ihnen ist: Ich stelle meine Bücher ins Regal.

der Schrank, *die Schränke*
  In Schränke tut man Sachen. In meinem Schrank sind Kleider. *Kleiderschrank:* **ein Schrank für Kleider** *Küchenschrank:* **ein Schrank in der Küche**

der Schreibtisch, *die Schreibtische*
 Am Schreibtisch
 mache ich meine
 Aufgaben für die
 Schule: Auf meinem
Schreibtisch ist
wenig Platz, weil da mein
Computer steht.

das Spiel, *die Spiele*
 Spiele **machen**
 Spaß. Du spielst
 sie meistens
 zusammen mit
 anderen: „Mensch ärgere dich
nicht" ist Joschkos liebstes Spiel.

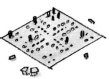

das Spielzeug, *die Spielzeuge*
 Mit Spielzeug **kann man**
 spielen: Mein altes Spielzeug
schenke ich Jan.
 = *die Spielsachen*

der Stuhl, *die Stühle*
 Auf Stühlen **kann man**
 sitzen: Ich lege meine
Kleider auf einen Stuhl,
wenn ich ins Bett gehe.

das Tagebuch, *die Tagebücher*
 Ich schreibe jeden Tag in
 mein Tagebuch, **was**
 ich erlebt habe: Mein
Tagebuch darf keiner lesen.

der Teddy, *die Teddys*
 Viele kleine Kinder
 haben Teddys, **die sie**
 mit ins Bett nehmen:
Jan hat einen Teddy
und viele andere Tiere zum
Spielen.
 = *der Teddybär*

die Wand, *die Wände*
 Ein Zimmer hat
 vier Wände: **Ich**
 habe ein Bild an
 die Wand gehängt.

der Wecker, *die Wecker*
 Wecker **sind Uhren,**
 die morgens
 klingeln oder Musik
 machen, damit
 man wach wird: Mein Wecker
klingelt um halb sieben.

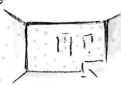

ein, eine, ein, der, die, das

ein	eine	ein	
Da liegt *ein* Stift.	Da liegt *eine* Schere.	Da liegt *ein* Buch.	Da liegen Sachen.
Mit dem Lineal kann man die Größe *eines* Stiftes messen.	Mit dem Lineal kann man die Größe *einer* Schere messen.	Mit dem Lineal kann man die Größe *eines* Buches messen.	Mit dem Lineal kann man die Größe von Sachen messen.
Ich schreibe mit *einem* Stift.	Ich schneide mit *einer* Schere.	Ich lese in *einem* Buch.	Ich spiele mit meinen Sachen.
Ich habe *einen* Stift.	Ich habe *eine* Schere.	Ich habe *ein* Buch.	Ich habe viele Sachen.

der	die	das	die
Wo ist *der* Stift?	Wo ist *die* Schere?	Wo ist *das* Buch?	Wo sind *die* Sachen?
Was ist die Farbe *des* Stiftes?	Was ist die Farbe *der* Schere?	Was ist die Farbe *des* Buches?	Was sind die Farben *der* Sachen?
Ich schreibe mit *dem* Stift.	Ich schneide mit *der* Schere.	Ich lese in *dem* Buch.	Ich spiele mit *den* Sachen.
Gib mir bitte *den* Stift.	Gib mir bitte *die* Schere.	Gib mir bitte *das* Buch.	Gib mir bitte *die* Sachen.

Kleidung

Strumpf

Pullover

Schal

Kleid

Schuh

Handschuhe

Knopf

Hose

T-Shirt

nähen

Stoff

Mütze

Jacke

anziehen

Am Morgen oder nach dem Baden ziehst du dir Kleider an: Gestern habe ich Strumpfhosen angezogen, weil es kalt war. Jan kann sich noch nicht allein anziehen.

die Farbe, *die Farben*

Es gibt viele Farben: weiß, gelb, rot, grün, blau, …: Wenn es regnet, ziehe ich Kleider mit hellen Farben an, damit ich besser gesehen werde.

aufräumen

Wenn man aufräumt, tut man (alle) Sachen an ihren Platz: Ich habe mein Zimmer schon lange nicht mehr aufgeräumt. Adrian, räumst du bitte den Schuh auf?

finden

Wenn du etwas suchst und dann findest, weißt du, wo es ist: Ich kann meinen Strumpf nicht finden, hilfst du mir suchen? Hexi hat einen Schuh von mir gefunden.

ausziehen

Wenn du badest oder ins Bett gehst, ziehst du dich aus: Wohin habe ich nur den Strumpf getan, als ich ihn gestern ausgezogen habe?

der Handschuh, *die Handschuhe*

Wenn es draußen sehr kalt ist, sind Handschuhe an den Händen schön warm.

der Clown, *die Clowns*

Clowns sind lustig und tragen bunte Kleider: Ich möchte im Karneval ein Clown sein.

der Haufen, *die Haufen*

Auf einem Haufen liegen viele Sachen: Mama legt die Sachen, die sie waschen will, auf einen Haufen.

helfen
> Wenn du etwas nicht allein
> kannst, muss dir jemand
> helfen: Hilfst du mir beim
> Aufräumen, Daniel? Ich habe dir
> gestern auch geholfen.

das Kleid, *die Kleider*
> Wenn Frauen keine
> Hosen tragen, dann
> tragen sie Röcke oder
> Kleider: Oma hat ein
> schönes gelbes Kleid.

das Hemd, *die Hemden*
> Hemden **sind aus**
> **dünnem Stoff und**
> **haben vorne**
> **Knöpfe:** Papa trägt oft Hemden.

die Kleider
> Menschen tragen
> Kleider. Sie
> schützen vor
> Kälte, Sonne und
> Wind: Ich muss noch meine
> Kleider aufräumen.
> = *die Kleidung*

die Hexe, *die Hexen*
> Hexen **sind Frauen,**
> **die zaubern können:**
> Ich habe mich im
> Karneval als
> Hexe verkleidet.

der Knopf, *die Knöpfe*
> Hemden und viele Jacken
> und Mäntel haben vorne
> Knöpfe: An meinem Mantel fehlt
> ein Knopf.

die Hose, *die Hosen*
> Jungen tragen immer
> Hosen, Mädchen oft:
> Soll ich eine Hose
> anziehen oder einen
> Rock?

das Kostüm, *die Kostüme*
> Wenn du dich verkleiden willst,
> brauchst du ein Kostüm: Mama
> näht mir ein Kostüm für den
> Karneval. Ich werde als Clown
> gehen.

die Jacke, *die Jacken*
> Jacken **zieht man**
> **über die anderen**
> **Kleider an, wenn**
> **es kalt ist oder wenn**
> **es regnet.**

der Mantel, *die Mäntel*
> Mäntel **sind wie**
> **Jacken, nur länger:**
> Oma trägt im Winter
> immer einen Mantel.

die Mütze, *die Mützen*
Wenn es draußen
sehr kalt ist, ist eine
Mütze auf dem Kopf
schön warm: Mama will, dass wir
im Winter Mützen tragen.

nähen
Aus Stoff kann man Kleider
nähen: Mama näht mir ein
Kostüm für den Karneval.

die Naht, *die Nähte*
Wenn man näht,
macht man eine
Naht.

passen
Wenn Kleider nicht zu
groß und auch nicht
zu klein sind, passen
sie: Die Kleider passen
Adrian nicht mehr.

der Pullover, *die Pullover*
Pullover zieht man
über den Kopf:
Zieh einen warmen
Pullover an, es ist
kalt heute.

der Ring, *die Ringe*
Ringe trägt man
an den Fingern:
Papa hat Mama
zu Weihnachten
einen teuren
Ring geschenkt.

der Rock, *die Röcke*
Wenn Frauen keine
Hosen tragen, dann
tragen sie oft Röcke:
Wenn es heiß ist,
ziehe ich gerne einen Rock an.

der Rucksack, *die Rucksäcke*
Rucksäcke sind Taschen,
die man auf dem Rücken
trägt.

die Sandale, *die Sandalen*
Sandalen sind offene
Schuhe für den
Sommer.

der Schal, *die Schals*
Wenn es draußen sehr
kalt ist, ist ein Schal
um den Hals schön
warm.

der Schlafanzug,
die Schlafanzüge
**Viele Leute tragen
im Bett Schlafanzüge.**
= *der Pyjama*

die Strumpfhose,
die Strumpfhosen
**Wenn es kalt ist, trage
ich zum Rock oder
Kleid Strumpfhosen.**

der Schuh, *die Schuhe*
**Schuhe sind für die
Füße. Du brauchst
sie auf der Straße:**
Ich ziehe immer die
Schuhe aus, wenn ich nach
Hause komme.

suchen
**Wenn du nicht weißt,
wo etwas ist, musst
du es suchen:**
Hexi sucht ihren Knochen.

der Stiefel, *die Stiefel*
**Stiefel sind hohe
Schuhe. Man trägt
sie besonders im
Winter.**

die Tasche, *die Taschen*
**In Taschen tut man
Sachen, um sie mit
sich zu tragen.**
Schultasche: **eine
Tasche für die Sachen, die du
in der Schule brauchst**

der Stoff, *die Stoffe*
**Aus Stoffen macht
man Kleider:** Mama
hat Stoff für mein Kostüm gekauft.

tragen
**1 Man trägt Kleider, wenn man
sie am Körper hat:** Mama trägt
lieber Hosen als Röcke.
= *anhaben*
**2 Du kannst Sachen
in die Hand oder auf
den Arm oder Rücken
nehmen und an einen
anderen Platz tragen:**
Mama hat die Einkäufe
ins Haus getragen.

der Strumpf, *die Strümpfe*
**Strümpfe sind für die Füße.
Sie sind weich und warm:**
Adrian, zieh frische
Strümpfe an, diese riechen
schon.
= *die Socke*

das T-Shirt, *die T-Shirts*
T-Shirts **sind aus
dünnem Stoff. Sie
haben meistens
keine Knöpfe und
man trägt sie, wenn es warm
ist:** Ich habe viele bunte T-Shirts.

die Unterwäsche
Unterwäsche **trägt man
auf der Haut, unter den
anderen Kleidern:**
Ich ziehe jeden Tag
frische Unterwäsche an.

sich verkleiden
**Wenn du mal ein ganz anderer
Mensch oder ein Tier sein willst,
verkleidest du dich mit einem
Kostüm. Das macht Spaß:**
Im Karneval verkleiden sich alle.

verschieden
**Was verschieden ist, ist nicht
gleich:** Clowns tragen oft zwei
verschiedene Strümpfe, das ist
lustig.

wechseln
**Wenn man die Kleider wechselt,
zieht man die einen aus und die
anderen an:** Ich wechsle täglich
die Unterwäsche.

zaubern
**In manchen Geschichten
können Menschen
zaubern. Dann
lassen sie etwas
geschehen, das
eigentlich nicht
möglich ist:** Wenn ich zaubern
könnte, würde ich zaubern, dass
immer Sommer ist.

Schwierige Zeitwörter

haben

Ich **habe** einen Hund. **Hast** du Hunger? Oma **hat** graue Haare. Wir **haben** viel Spaß zusammen. **Habt** ihr bald Ferien? Meine Eltern **haben** drei Kinder. Gestern **hatte** ich keine Zeit zum Spielen. Ich habe keine Zeit **gehabt**. Wenn ich heute Zeit **hätte**, würde ich mit Aischa spielen.

Ich **habe** heute lange **geschlafen**. Hexi **hat** mich **geweckt**, sonst **hätte** ich mich **verspätet**.

sein

Ich **bin** Hannah. Wie alt **bist** du? Jan **ist** ein Baby. Wir **sind** oft im Garten. Wie viele Kinder **seid** ihr in eurer Klasse? Omas Haare **sind** grau. Vor einer Woche **war** ich krank. Ich bin heute nicht in der Schule **gewesen**. Wenn ich schon erwachsen **wäre**, müsste ich nicht mehr in die Schule gehen.

Ich **bin** gestern mit dem Rad zur Schule **gefahren**. Am Nachmittag **sind** wir ins Schwimmbad **gegangen**. Aischa **wäre** gern mit uns **gekommen**, aber sie hatte keine Zeit.

werden

Ich **werde** immer größer. Zieh dich warm an, damit du nicht krank **wirst**. Abends **wird** es dunkel. Mama **wurde** gestern böse. Ich bin vor einer Woche zehn Jahre alt **geworden**.

Morgen **wird** es vielleicht **regnen**. Meine Eltern **werden schimpfen**, wenn ich zu spät nach Hause komme. **Werdet** ihr bald Ferien **bekommen**? Die Ferien **werden** sicher schön **sein**. Ich **würde** jetzt gern **fernsehen**, wenn ich Zeit hätte.

Nase

Ohr

Spiegel

Daumen

Mein Körper

Auge

Pflaster

Knochen

Verband

Arm

Füße

Beine

Knie

Mund

Zehen

Medizin

anfassen

> **Wenn du etwas anfasst, nimmst du es in die Hand:** Fass das nicht an, Jan, du tust dir weh!
> = *berühren*

der Arm, *die Arme*

> **Die Arme sind die zwei Teile deines Körpers zwischen Schultern und Händen.**

der Arzt, *die Ärzte*

> **Ein Arzt hilft dir, wenn du krank wirst:** Wenn du krank bist, musst du zum Arzt gehen.

die Ärztin, *die Ärztinnen*

> **Eine Frau, die Arzt ist, ist eine Ärztin:** Die Ärztin hat mir eine Medizin gegeben.

das Auge, *die Augen*

> **Mit den Augen sehen wir:** Mama hat schlechte Augen und trägt darum eine Brille.

der Bart, *die Bärte*

> **Wenn ein Mann viele Haare im Gesicht hat, hat er einen Bart.**

der Bauch, *die Bäuche*

> **Der Bauch ist der weiche Teil vorne am Körper:** Hexi hat einen dicken Bauch.

das Bauchweh

> **Wenn dir dein Bauch wehtut, hast du Bauchweh:** Adrian isst oft so viel, dass er Bauchweh bekommt.
> = *die Bauchschmerzen*

das Bein, *die Beine*

> **Beine braucht man zum Stehen, Gehen und Laufen:** Ich habe zwei Beine, Hexi vier.

beißen

1 Man beißt mit den Zähnen: Wer hat ein Stück von meinem Keks gebissen?

2 Wenn dich ein Tier beißt, verletzt es dich mit den Zähnen: Keine Angst, Hexi beißt nicht.

zerbeißen: **so beißen, dass es kaputt ist:** Hexi hat meinen Schuh zerbissen.

sich bewegen

Wenn sich etwas bewegt, bleibt es nicht am gleichen Platz. Wenn du gehst, läufst, rennst oder schwimmst, bewegst du dich: Es ist gut für dich, wenn du dich viel bewegst.

bluten

Wenn man die Haut verletzt, blutet man: Adrian blutet am Knie.

bohren

Wenn du in der Nase bohrst, hast du den Finger in der Nase:

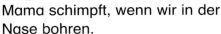

Mama schimpft, wenn wir in der Nase bohren.

brauchen

Wenn man etwas braucht, muss man es haben oder benutzen: Mama hat schlechte Augen und braucht eine Brille.

die Brille, *die Brillen*

Brillen helfen, wenn man schlecht sieht.

die Brust, *die Brüste*

Die Brust ist der Teil des Körpers über dem Bauch: Wenn ich huste, tut mir die Brust weh.

der Daumen, *die Daumen*

Der Daumen ist der kürzeste und dickste Finger: Jan hat beim Schlafen oft den Daumen im Mund.

das Fieber

Wenn du krank bist und dir sehr heiß wird, dann hast du Fieber: Ich habe Fieber, darum muss ich im Bett bleiben.

der Finger, *die Finger*
 An jeder Hand sind
 fünf **Finger:** Mama
 sagt: „Zeig mal deine
 Finger, sind die sauber?"

der Fuß, *die Füße*
 **Auf den Füßen
 stehen wir:**
 Ich habe kalte Füße.

gehen
 **Wenn du gesund bist und keine
 Schmerzen hast, geht es dir
 gut:** Heute geht es mir schlecht.

gerade
 **Etwas ist gerade, wenn es nicht
 gebogen oder schief ist:** Mama
 muss immer ganz gerade sitzen,
 damit ihr Rücken nicht wehtut.

das Gesicht, *die Gesichter*
 **Das Gesicht ist der
 Teil vom Kopf, wo
 Augen, Nase und
 Mund sind:** Warum
 macht Jan so ein trauriges
 Gesicht?

gesund
 Wer gesund ist, ist nicht krank:
 Die Ärztin meint, ich werde bald
 wieder gesund.

die Grippe
 **Wenn man Grippe hat,
 bekommt man Fieber und einen
 Schnupfen:** Oma und Opa sind
 gegen Grippe geimpft.

das Haar, *die Haare*
 **Haare sind sehr dünn
 und wachsen am
 Körper, besonders
 oben auf dem Kopf:**
 Oma hat graue Haare.

der Hals, *die Hälse*
 **Unter dem Kopf ist
 der Hals:**
 Welches Tier hat einen
 langen Hals?

halten
 **Wenn du die Finger um
 etwas legst, hältst du
 es in der Hand:**
 Adrian hält Opas
 Hand.

die Hand, *die Hände*
**Mit deinen Händen
kannst du viel machen:
arbeiten, schreiben,
etwas nehmen, halten,
werfen, ...:** Jan hat noch
kleine Hände.

die Haut, *die Häute*
**Außen an unserem Körper ist
die Haut:** Babys haben ganz
weiche Haut.

hören
Du hörst mit deinen Ohren:
Hörst du gern Musik? Sprich
lauter, Opa hört schlecht.

husten
**Wenn laut und
plötzlich Luft aus
deiner Brust kommt,
hustest du:** Ich bin
krank und muss oft
husten.

impfen
**Der Arzt impft dich, damit
du gesund bleibst:** Oma
und Opa lassen sich
jedes Jahr gegen
Grippe impfen.

die Impfung, *die Impfungen*
**Wenn man geimpft wird, ist das
eine Impfung:** Tante Elisabeth
geht mit Jan zur Impfung.

der Kiefer, *die Kiefer*
**Die Kiefer sind Knochen im
Kopf. Die Zähne wachsen aus
den Kiefern.**

das Kinn, *die Kinne*
**Unter dem Mund ist
das Kinn:** Papa hat
ein Pflaster am Kinn.

das Knie, *die Knie*
**In der Mitte des
Beines ist das Knie:**
Adrian hat sich am
Knie verletzt.

der Knochen, *die Knochen*
**Im Körper haben Menschen
und viele Tiere harte
Knochen:** Hexi hat
ihren Knochen im Zimmer
liegen lassen.

der Kopf, *die Köpfe*
**Augen, Mund, Nase
und Ohren sind am
Kopf:** Mein Kopf tut weh.

der Körper, *die Körper*
Tiere und Menschen
haben einen **Körper.**
Kopf, Hals, Arme,
Bauch, Rücken, Beine
und Füße sind Teile
des **Körpers:** Mein
ganzer Körper tut weh.

messen
Man kann viele Sachen
messen, zum Beispiel
wie heiß, kalt, groß oder
schwer etwas ist:
Die Ärztin hat bei mir
Fieber gemessen.

krank
Wenn du **krank** bist, fühlst du
dich nicht gut und hast
Schmerzen: Ich muss im Bett
bleiben, weil ich krank bin.

der Mund, *die Münder*
Den **Mund** brauchst
du zum Essen
und zum Sprechen:
Jan kann seine Zehen in den
Mund nehmen.

sich kratzen
Manchmal hast du ein
Gefühl auf der Haut,
das du nicht magst.
Damit es aufhört,
kratzt du dich:
Hexi kratzt sich am Ohr.

die Nase, *die Nasen*
Durch die **Nase**
bekommst du Luft:
Ich habe eine ganz rote
Nase.

die Medizin, *die Medizinen*
Medizin gibt dir der
Arzt, wenn du krank
bist: Wenn ich
meine Medizin
nehme, wird es mir
bald besser gehen.

niesen
Wenn laut und
plötzlich Luft und
Flüssigkeit aus
deiner Nase kommt,
niest du: Ich habe Schnupfen und
muss oft niesen.

das Ohr, *die Ohren*
Ohren braucht man
zum Hören: Hexi hat
braune Ohren.

das Pflaster, *die Pflaster*
Pflaster benutzt man,
wenn man blutet:
Adrian braucht ein
Pflaster für sein Knie.

pflegen
Wenn ich krank bin, pflegt
mich Mama wieder gesund:
Sie bringt mich ins Bett, macht
mir Tee und gibt mir Medizin.

der Po, *die Pos*
Auf dem Po sitzen wir:
Jan ist auf den Po
gefallen und hat sich
wehgetan.
= *der Hintern*

riechen
Mit der Nase riecht
man: Mama riecht
an der Blume.

der Rücken, *die Rücken*
Der Rücken ist der
Teil des Körpers über
dem Po: Mamas
Rücken tut oft weh.

schlank
Wer schlank ist,
ist nicht dick,
aber auch nicht
zu dünn:
Mama ist schlank.

schlimm
Etwas ist schlimm, wenn es
schlecht oder gefährlich ist:
Das Fieber ist nicht schlimm.

schmecken
Mit der Zunge schmeckt man:
Kannst du schmecken, was für ein
Tee das ist?

der Schmerz, *die Schmerzen*
Wenn du dich verletzt
hast oder krank bist,
dann hast du
meistens Schmerzen.
Kopfschmerzen:
Schmerzen im Kopf
Rückenschmerzen:
Schmerzen am Rücken

der Schnupfen, *die Schnupfen*
Wenn du einen Schnupfen hast,
bekommst du durch die Nase
nur wenig Luft und musst oft
niesen.

die Schulter, *die Schultern*
    **Die Schultern sind
die Teile deines
Körpers zwischen
Hals und Armen:**
Felix sitzt auf Tante
Elisabeths Schulter.

sehen
    Du siehst mit deinen Augen:
Daniel hat Hexis Knochen nicht
gesehen.

der Spiegel,
    die Spiegel
    **Im Spiegel
kannst du dich
selbst sehen:**
Adrian steht
vor dem Spiegel.

die Spritze, *die Spritzen*
    **Wenn man geimpft wird,
bekommt man eine
Spritze:** Hast du
Angst vor Spritzen?

die Stimme, *die Stimmen*
    **Wenn du sprichst, singst,
schreist oder weinst, hören wir
deine Stimme:** Ich höre Stimmen
im Gang, ich glaube, die Ärztin
ist gekommen.

die Stirn, *die Stirnen*
    **Die Stirn ist der Teil
des Kopfes über den
Augen:** Fühl mal –
meine Stirn ist ganz
heiß.

der Verband, *die Verbände*
    **Bei großen Verletzungen
braucht man einen
Verband:** Der Teddy
hat einen Verband am
Kopf.

sich verbrennen
    **Wenn du etwas
anfasst, das sehr
heiß ist, verbrennst
du dich:**
Jan hat sich an der
Kerze verbrannt.

die Verbrennung,
    die Verbrennungen
    **Wenn man sich schlimm
verbrannt hat, hat man eine
Verbrennung:**
Verbrennungen tun sehr weh.

sich verletzen
Bei einem Unfall
kannst du dich
verletzen. Das tut
weh: Adrian hat sich
am Knie verletzt.
= *sich wehtun*

der Zahnarzt,
die Zahnärzte
Ein Zahnarzt ist
ein Arzt für die
Zähne:
Hast du Angst
vor dem Zahnarzt?

die Verletzung, *die Verletzungen*
Wenn du dich verletzt hast,
hast du eine Verletzung: Bei
schlimmen Verletzungen muss
man ins Krankenhaus.
= *die Wunde*

die Zahnärztin, *die Zahnärztinnen*
Eine Frau, die Zahnarzt ist, ist
eine Zahnärztin.

die Zehe, *die Zehen*
Menschen haben an
jedem Fuß fünf Zehen.
= *der Zeh*

wehtun
Wenn du dich
verletzt, tut das
weh: Daniels Zeh
tut weh.
= *schmerzen*

die Zunge, *die Zungen*
Im Mund hast du
eine Zunge.
Du brauchst
sie zum
Sprechen und
Schmecken:
Die Ärztin wollte,
dass ich „aah" sage und ihr meine
Zunge zeige.

der Zahn, *die Zähne*
Zähne sind hart
und weiß. Mit
ihnen beißt
man: Opa hat
keine Zähne mehr.

Gefühle

weinen

traurig

lachen

schauen

lieben

schrecklich

durstig

verrückt

hungrig

streiten

die Angst, *die Ängste*
**Wenn du denkst, dass
etwas Schlimmes
geschehen könnte,
bekommst du Angst:**
Die Maus hat keine Angst vor der
Katze.

ängstlich
Wer oft Angst hat, ist ängstlich:
Mama sagt immer, wir sollen
vorsichtig sein. Sie ist viel zu
ängstlich.

ärgern
**1 Wenn jemand etwas
tut, was du nicht
magst, ärgerst du
dich:** Paula ärgert
sich, weil die Kuh
ihr Futter gefressen hat.
**2 Wenn jemand etwas nicht
mag und du tust das trotzdem,
dann ärgerst du ihn:** Jan, du
sollst doch die Katze nicht ärgern!

belohnen
**Wenn du besonders brav oder
fleißig bist, belohnen dich deine
Eltern:** Oma belohnt uns für gute
Noten mit Schokolade.

bereit
**Wenn jemand zu
etwas bereit ist,
will er es tun:**
Adrian ist bereit,
sich bei Daniel zu entschuldigen.

der Blick, *die Blicke*
**Am Blick siehst du oft,
was jemand fühlt:**
Mamas Blick ist böse.

böse
**1 Wenn du dich ärgerst, wirst
du böse:** Mama wird böse, wenn
sich die Zwillinge streiten.
= wütend, ärgerlich
**2 Wer böse ist, will,
dass andere Angst
oder Schmerzen
haben oder sich
ärgern:**
Die Hexe ist böse.
= gemein, schlecht

brav
**Wenn Kinder das tun,
was man ihnen sagt,
dann sind sie brav:**
Adrian putzt sich
brav die Zähne.

dumm

Wer **dumm** ist, ist nicht **klug:** Es war dumm von Adrian, so viel zu essen.

die Dummheit, *die Dummheiten*

Eine Dummheit ist etwas, was dumm ist: Es ist eine Dummheit, so viel zu essen, dass man Bauchweh bekommt.

der Durst

Durst ist das Gefühl, wenn du etwas trinken willst: Ich habe großen Durst.

durstig

Wenn du etwas trinken willst, bist du durstig: Ich bin sehr durstig.

ehrlich

Du bist ehrlich, wenn du nicht lügst: Sei ehrlich, hast du deine Zähne geputzt?

empfinden

Du kannst Angst, Durst, Schmerzen und viele andere Gefühle empfinden: Können Pflanzen Schmerzen empfinden?
= *fühlen*

empfindlich

Wenn du dich schnell und oft ärgerst, dann bist du empfindlich: Daniel sagt: „Du bist immer so empfindlich, das war doch nicht so schlimm!"

sich entschuldigen

Wenn du dich bei jemandem für etwas entschuldigst, sagst du ihm, dass es dir leidtut: Adrian, du weißt, dass du deinen Bruder nicht schlagen darfst. Entschuldige dich bei ihm!

erschrecken

1 Wenn du jemanden erschreckst, dann hat er plötzlich Angst: Daniel hat Adrian erschreckt.
2 Wenn du (dich) erschrickst, dann hast du plötzlich Angst: Adrian hat sich erschrocken. Er ist erschrocken, als Daniel „Buh!" rief.

erwarten

Was deine Eltern von dir erwarten, musst du tun. Wenn du denkst oder hoffst, dass etwas geschehen wird, erwartest du es: Mama sagt: „Ich erwarte, dass du dich bei deinem Bruder entschuldigst!"

die Erwartung, *die Erwartungen*
**Deine Erwartungen sind das,
was du erwartest:** Welche
Erwartungen haben unsere Eltern
an uns?

---

finden
**Wenn du etwas gut findest,
denkst du, dass es gut ist:**
Ich fand den Film langweilig.
Mama findet, dass Adrian und
Daniel zu oft streiten.

---

sich freuen
**Wenn du ein Geschenk
bekommst oder etwas
schön ist, dann freust
du dich:** Freust du dich,
dass bald Ferien sind?

---

friedlich
**Man ist friedlich, wenn man
nicht streitet oder schimpft:**
Mama sagt: „Seid friedlich,
Kinder!"

---

fröhlich
**Wenn man sich
freut und Spaß
hat, ist man
fröhlich:** Silvester
feiern wir ein fröhliches Fest.

die Fröhlichkeit
**Wenn man sich freut und Spaß
hat, ist das Fröhlichkeit:** Alle
haben Joschko wegen seiner
Fröhlichkeit gern.

---

fühlen
**Wenn du ein Gefühl hast, fühlst
du etwas:** Ich fühle mich nicht
mehr krank. Fühl mal, wie kalt
das Wasser ist.

---

das Gefühl, *die Gefühle*
**Hunger, Schmerzen und Angst
sind Gefühle:** Wenn du dich
freust, ist das ein schönes Gefühl.

---

gern, gerne
**Deine Freunde hast du
gern. Wenn du Ferien
hast, kannst du das
tun, was du gerne
tust:** Möchtest du gern
ein Eis oder lieber Kuchen?
Jan hat alle Tiere gern, aber am
liebsten ist ihm Felix.

---

glauben
**Wenn du etwas glaubst, denkst
du, dass es möglich oder wahr
ist:** Glaubst du, dass es heute
noch regnen wird? Mama glaubt
Daniel nicht, dass er die Zähne
geputzt hat.

das Glück

Glück ist etwas, das sehr gut für dich ist und über das du dich freust: Mama hat Glück, sie hat ein Rad.

glücklich

Wenn du Glück hast, macht dich das glücklich: Ich wäre glücklich, wenn ich auch so ein schönes Rad hätte.
= froh

hoffen

Wenn du dir wünschst, dass etwas geschehen wird, dann hoffst du das: Ich hoffe, dass ich ein Rad zum Geburtstag bekomme.

hoffentlich

Wenn du etwas hoffst, sagst du „Hoffentlich!": Hoffentlich bekomme ich ein Rad zum Geburtstag!

der Hunger

Du hast Hunger, wenn dein Bauch leer ist und du etwas essen willst: Hexi hat großen Hunger.

hungrig

Wenn du Hunger hast, bist du hungrig: Hexi ist sehr hungrig.

klug

1 Wer klug ist, lernt schnell und leicht: Wenn du klug und fleißig bist, bekommst du gute Noten.
= gescheit
2 Wer klug ist, tut nichts, was schlecht für ihn ist: Es ist nicht klug, so viel zu essen, dass man Bauchweh bekommt.
= schlau

der Kuss, *die Küsse*

Wenn Menschen sich lieb haben, geben sie sich manchmal einen Kuss: Wenn wir ins Bett gehen, gibt Mama uns einen Kuss.

küssen

Wenn du jemandem einen Kuss gibst, küsst du ihn: Papa hat Mama geküsst.

langweilig

Wenn etwas langweilig ist, macht es dir keinen Spaß und dauert viel zu lange: Ich finde es langweilig, mit Schildkröten zu spielen.

das Leid

Wenn jemandem ein Leid geschieht, hat er schlimme Erlebnisse oder Schmerzen: Ein Krieg bringt großes Leid.

leidtun

Wenn du traurig bist, dass du etwas getan hast oder dass etwas geschehen ist, tut es dir leid: Jan tut es leid, dass er der Katze wehgetan hat.

lieb

Wenn du jemanden sehr gern hast, hast du ihn lieb: Ich habe Hexi sehr lieb. Liebe Tante Barbara, ich habe dir schon lange nicht mehr geschrieben.

lieben

Was man besonders gern hat, liebt man: Adrian liebt Pfannkuchen. Mama liebt Papa.

der Lohn

Weil ich fleißig gelernt habe, habe ich zum Lohn von Oma ein Eis bekommen. *= die Belohnung*

lügen

Wenn du deine Zähne nicht putzt und sagst, du hast sie geputzt, dann lügst du: Ist das auch wahr oder lügst du? Hat Daniel gelogen?

die Lust

Wenn du etwas gerne tun willst, hast du Lust, es zu tun: Ich habe keine Lust mehr, mit Paula zu spielen.

mögen

Du magst Menschen, die nett sind, und Sachen, die gut oder schön sind: Magst du Hunde? Daniel hat früher Pilze gemocht, jetzt isst er sie nicht mehr. *= gern haben*

müde

Wenn du müde bist, willst du schlafen: Mama ist morgens immer sehr müde.

na

Wenn du jemanden fragst, was er fühlt oder denkt, sagst du oft „Na?": Na, Adrian, haben die Pfannkuchen geschmeckt?

nervös

Wenn du Angst hast, dass du etwas falsch machen wirst oder dass du nicht genug Zeit hast, dann wirst du nervös: Wenn ich in der Schule an der Tafel rechnen soll, werde ich immer nervös.

nett

Es ist nett, anderen zu helfen und sie nicht zu ärgern: 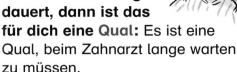 Es war nicht nett von der Kuh, Paulas Futter zu fressen. = lieb, freundlich

der Pfannkuchen, die Pfannkuchen

Pfannkuchen sind weich und süß und werden warm gegessen.

plötzlich

Wenn etwas plötzlich geschieht, geschieht es sehr schnell: Daniel hat plötzlich „Buh!" gerufen und Adrian erschreckt.

die Qual, die Qualen

Wenn du große Angst oder Schmerzen hast oder etwas zu lange dauert, dann ist das für dich eine Qual: Es ist eine Qual, beim Zahnarzt lange warten zu müssen.

quälen

Wenn man jemandem wehtun oder viel Angst machen will, dann will man ihn quälen: Jan, hör auf, die Katze zu quälen!

der Quatsch

Quatsch ist, wenn jemand etwas Dummes tut oder sagt: So ein Quatsch: Adrian will zehn Pfannkuchen essen! = der Unsinn

ruhig

1 Wenn es leise ist und niemand spricht, ist es ruhig: Mama sagt: „Seid ruhig, Kinder, hört auf zu streiten!" = still

2 Wenn man keine Angst hat und sich nicht ärgert, ist man ruhig: Ganz ruhig, Felix, keine Angst. Jan tut dir nicht mehr weh.

schauen

Du schaust mit den Augen: Mama schaut böse. Wohin schaut sie denn?

= *blicken*

schimpfen

Wenn du etwas tust, was deine Eltern nicht wollen, dann schimpfen sie: Mama schimpft: „Du sollst deinen Bruder nicht schlagen!"

schlagen

Man schlägt mit den Händen. Wenn du jemanden schlägst, tust du ihm weh: Adrian hat Daniel geschlagen.

= *hauen*

schrecklich

Wenn du etwas gar nicht magst, denkst du, es ist schrecklich: Jan findet Gemüse schrecklich.

= *furchtbar*

schreien

Wenn man sehr laut schimpft, weint oder ruft, schreit man: Warum schreit Jan denn so?

der Spaß

Wenn du etwas sehr gerne tust, macht es dir Spaß: Wir haben immer viel Spaß im Schwimmbad.

der Streit

Wenn du auf jemanden böse bist und er auf dich, dann habt ihr Streit: Adrian und Daniel haben oft Streit.

streiten

Wenn du mit jemandem streitest, ärgert ihr euch und schimpft: Adrian und Daniel haben sich gestritten.

die Träne, *die Tränen*

Tränen kommen aus deinen Augen, wenn du sehr traurig bist oder dir etwas wehtut: Jan hat Tränen in den Augen, weil Tante Elisabeth mit ihm geschimpft hat.

traurig

Wenn keiner nett zu dir ist, wirst du ganz traurig: Jan ist traurig, weil Felix nicht mit ihm spielen will.
= unglücklich

treu

Wer lange dein Freund bleibt und dich nicht vergisst, der ist dir treu: Hunde sind sehr treu.

unfreundlich

Wenn dich jemand bittet, ihm zu helfen, und du sagst, dass du keine Lust hast, ist das sehr unfreundlich: Adrian ist oft unfreundlich zu Daniel.

ungern

Wenn du etwas tun sollst, was du nicht tun willst, tust du es nur ungern: Jan isst nur ungern Gemüse.

verrückt

Du bist verrückt, wenn du etwas sehr Dummes tust: Du bist verrückt, wenn du das alles essen willst, Adrian!

versprechen

Wenn deine Eltern etwas sehr wichtig finden, wollen sie manchmal, dass du es ihnen versprichst: Adrian hat versprochen, dass er Daniel nicht mehr schlägt.

wahr

Wenn etwas wahr ist, lügst du nicht: Ist das auch wahr? Hast du wirklich die Zähne geputzt?

weinen

Wenn du sehr traurig bist und Tränen aus deinen Augen kommen, dann weinst du: Wein doch nicht, Jan.

Mein Tag

Uhr

Morgen

aufstehen

Zahnbürste

Zahnpasta

Frühstück

Uhrzeit

Nacht

Essen

Tag

Hausaufgaben

spazieren gehen

der Abend, *die Abende*

Der Abend ist
die Zeit, wenn
es dunkel wird
und wir bald
ins Bett gehen: Hast du gestern
Abend ferngesehen?

---

aufstehen

Wenn du genug
geschlafen hast,
stehst du auf:
Wann bist du heute
Morgen aufgestanden?

---

aufwachen

Wenn du aufwachst, schläfst
du nicht mehr: Ich bin heute sehr
früh aufgewacht.

---

aufwecken

Wenn du jemanden aufweckst,
machst du ihn wach: Hexi weckt
mich gern auf.
= *wecken*

---

bald

Was in kurzer Zeit geschehen
wird, geschieht bald: Ich habe
nicht viel Zeit, ich muss bald
gehen.
= *gleich*

dauern

Etwas dauert so lange, bis es
fertig oder zu Ende ist: Wie
lange dauert es noch bis zum
Abendessen? Der Film hat zwei
Stunden gedauert.

---

dunkel

In der Nacht ist
es dunkel: Mach
doch mal das
Licht an, hier ist
es so dunkel.

---

duschen

Wenn du dich
unter der Dusche
wäschst, dann
duschst du:
Ich dusche jeden
zweiten Tag.

---

einschlafen

Wenn du müde bist
und die Augen
schließt, schläfst
du bald ein:
Mama war gestern
so müde, dass sie
vor dem Fernseher
eingeschlafen ist.

erst

1 Wenn etwas langsamer oder später geschieht, als du gedacht hast, sagst du „erst": Heute fängt die Schule erst um neun Uhr an.

2 Wenn du etwas erst tust, tust du es vor etwas anderem: Ich muss erst meine Hausaufgaben machen, dann darf ich spielen.

das Essen

Meistens gibt es bei uns dreimal am Tag Essen. Dann setzen wir uns zusammen an den Tisch und essen: Ist das Essen bald fertig?

fernsehen

Wenn du fernsiehst, siehst du das, was im Fernseher kommt: Adrian sieht zu viel fern. Hast du gestern ferngesehen?

das Fernsehen

Fernsehen ist das, was man im Fernseher sehen und hören kann: Was kommt heute im Fernsehen?

früh

Es ist früh, wenn wenig Zeit vergangen ist: Morgen ist die Schule früher zu Ende als sonst. Ich will noch nicht ins Bett, es ist doch noch früh.

gehen

Du gehst, wenn du dich auf deinen Füßen bewegst: Aischa war heute bei mir, aber sie ist schon nach Hause gegangen.

+ *zu Fuß gehen* (= gehen, nicht fahren): Ich muss zu Fuß gehen, weil ich kein Rad habe.

***hineingehen*: in ein Haus gehen:** Mir ist kalt, gehen wir hinein.

***weggehen*: nicht an diesem Ort bleiben:** Geh weg, Hexi, ich muss lernen!

gerade

1 Was gerade geschieht, geschieht in diesem Moment: Was machst du gerade?
= jetzt

2 Was gerade geschah, geschah vor sehr kurzer Zeit: Ich bin gerade mit den Hausaufgaben fertig geworden.

gestern

Der Tag, der vor heute war, heißt gestern: Gestern war Sonntag, heute ist Montag. Wo warst du gestern?

der Gruß, *die Grüße*
Ein Gruß ist das, was du sagst, wenn du jemanden triffst oder weggehst. Am Ende von Briefen schreibst du „Viele Grüße" oder „Herzliche Grüße".

grüßen
Du grüßt, wenn du jemanden triffst oder wenn du weggehst:
Adrian hat die Nachbarn gegrüßt.

die Hausaufgabe,
die Hausaufgaben
Hausaufgaben sind für die Schule. Du musst sie zu Hause machen:
Nach den Hausaufgaben gehe ich mit Hexi spazieren.

hell
Am Tag ist es hell: Im Sommer wird es morgens früher hell als im Winter.

heute
Der Tag, der jetzt ist, heißt heute: Was wollen wir heute machen? Heute Abend geht Mama ins Kino.

holen
Wenn du an einen Ort gehst und von dort etwas mit dir nimmst, holst du es: Ich hole am Samstag vom Bäcker oft Brötchen für unser Frühstück.

jetzt
Was in diesem Moment geschieht, geschieht jetzt: Wie viel Uhr ist es jetzt? Tschüs, ich muss jetzt gehen.
= *nun*

der Kamm, *die Kämme*
Mit einem Kamm kannst du dich kämmen.

kämmen
Wenn sie geschlafen oder die Haare gewaschen haben, müssen sich die meisten Leute kämmen: Ich muss noch meine Haare kämmen. Hast du dich schon gekämmt?

die Minute, *die Minuten*
Eine Stunde hat 60 Minuten und eine Minute hat 60 Sekunden: Ich brauche nur zehn Minuten für den Weg zur Schule. Es ist jetzt drei Minuten nach sieben.

der Mittag, *die Mittage*
Der Mittag ist die Zeit, wenn die Sonne hoch am Himmel steht. Wir machen dann eine Pause und essen etwas: Kleine Geschäfte sind oft über Mittag geschlossen.

der Moment, *die Momente*
Ein Moment ist eine sehr kurze Zeit: Warte mal einen Moment!

morgen
Der Tag, der nach heute kommt, heißt morgen: Heute ist Montag, morgen ist Dienstag. Hast du morgen Nachmittag Zeit?

der Morgen
Der Morgen ist die Zeit, wenn es draußen hell wird und wir aufstehen: Heute Morgen bin ich früh aufgewacht.

der Nachmittag, *die Nachmittage*
Der Nachmittag ist die Zeit zwischen Mittag und Abend: Was machst du heute Nachmittag?

die Nacht, *die Nächte*
In der Nacht steht die Sonne nicht am Himmel und es ist draußen dunkel: Manchmal kann Hexi in der Nacht nicht schlafen.

das Programm, *die Programme*
Was im Radio oder Fernseher kommt, ist das Programm: Was steht morgen auf dem Programm?

putzen
Wenn man Fenster oder Zähne putzt, dann macht man sie sauber: Adrian putzt sich die Zähne. Mama hat heute ihr Fahrrad geputzt.

schlafen
In der Nacht schläfst du. Dann sind deine Augen zu: Adrian hat schlecht geschlafen. Als er schlief, hatte er einen schlechten Traum.

65

schon

Du sagst „schon", wenn etwas schneller oder früher geschieht, als du gedacht hast: Ist es schon acht Uhr? Dann muss ich ja schon ins Bett!
= bereits

---

die Sekunde, *die Sekunden*

Eine Sekunde ist eine sehr kurze Zeit. Eine Minute hat 60 Sekunden: Wie viele Sekunden kannst du unter Wasser bleiben?

---

spät

Es ist spät, wenn schon viel Zeit vergangen ist: Ich bin heute später aufgestanden als sonst und zu spät in die Schule gekommen.

---

spazieren gehen

Man geht spazieren, wenn man Lust hat, sich draußen zu bewegen: Heute bin ich noch nicht mit Hexi spazieren gegangen.

stehen

1 Wenn Sachen an einem Platz stehen, dann sind sie dort: Mutter ruft: „Kommt Kinder, das Essen steht schon auf dem Tisch."
2 Sachen stehen, wenn sie nicht liegen. Menschen und Tiere stehen, wenn sie nicht liegen oder sitzen: Hexi hat heute schon um sechs Uhr an der Tür gestanden und wollte spazieren gehen.

---

stellen

Wenn du etwas an einen Platz stellst, dann steht es dort: Ich stelle die Bücher ins Regal.

---

die Stunde, *die Stunden*

Ein Tag hat 24 Stunden und eine Stunde hat 60 Minuten: Wenn wir zu Tante Barbara wollen, müssen wir zwei Stunden mit dem Zug fahren.

der Tag, *die Tage*
**1 Eine Woche hat
7 Tage, ein Tag dauert
24 Stunden:** Welchen
Tag haben wir heute?
Wie viele Tage sind es noch bis
zu meinem Geburtstag?
**2 Am Tag steht die Sonne am
Himmel und es ist draußen hell:**
Manche Tiere schlafen am Tag
und sind in der Nacht wach.

täglich
**Was täglich geschieht,
geschieht an jedem Tag:** Ich
muss täglich mit Hexi spazieren
gehen.

der Traum, *die Träume*
**Träume sind Geschichten, die
man erlebt, wenn man schläft:**
Adrian hat einen schlechten
Traum gehabt.

träumen
**Wenn du einen
Traum hast,
träumst du:**
Adrian hat schlecht
geträumt und hat jetzt Angst.

die Uhr, *die Uhren*
**1 Mit Uhren kann man
die Stunden, Minuten
und Sekunden des
Tages messen:**
Schau mal auf die Uhr:
Wie spät ist es?
**2 Die Stunden des Tages heißen
ein Uhr, zwei Uhr, drei Uhr, ...:**
Um wie viel Uhr kommt Papa
nach Hause? Ich habe heute bis
drei Uhr Schule.

die Uhrzeit, *die Uhrzeiten*
**Die Uhrzeit ist die Zeit des
Tages, wie man sie mit einer
Uhr misst:** Welche Uhrzeit haben
wir jetzt?

vergehen
**Während man etwas tut,
vergeht die Zeit und es wird
später:** In der Schule war es
heute so interessant, dass die Zeit
schnell vergangen ist.

der Vormittag, *die Vormittage*
**Der Vormittag ist die Zeit
zwischen Morgen und Mittag:**
Am Vormittag sind wir meistens in
der Schule.

wach

**Wenn du nicht schläfst, bist du
wach**: Daniel, bist du noch wach?

waschen

**Man wäscht sich, um sauber zu
werden. Auch Kleider werden
gewaschen**: Mama fragt, ob wir
uns vor dem Essen die Hände
gewaschen haben.

wirklich

**Wenn etwas so ist, wie du sagst
oder denkst, dann ist es
wirklich so**: Ist es wirklich schon
acht Uhr? Das hätte ich nicht
gedacht!

die Zahnbürste, *die Zahnbürsten*

**Zahnbürsten sind für
die Zähne, um sie zu
putzen.**

die Zahnpasta, *die Zahnpastas*

**Zahnpasta
tust du
auf die
Zahnbürste.**

die Zeit, *die Zeiten*

**Wir messen die Zeit in
Sekunden, Minuten, Stunden,
Tagen, Wochen, Monaten und
Jahren:** Wie viel Zeit ist noch bis
zum Essen? Hast du Zeit, mit mir
zu spielen?
Tageszeit: **Morgen, Mittag und
Abend sind Tageszeiten**

Die Tageszeiten und das Essen

der Morgen	am Morgen = *morgens*	das Frühstück
der Vormittag	am Vormittag = *vormittags*	das Pausebrot
der Mittag	am Mittag = *mittags*	das Mittagessen
der Nachmittag	am Nachmittag = *nachmittags*	
der Abend	am Abend = *abends*	das Abendessen
die Nacht	in der Nacht = *nachts*	

Uhrzeit
Wie viel Uhr ist es jetzt?

2:00 Uhr	**2:05 Uhr**	**2:15 Uhr**	**2:20 Uhr**
oder	oder	oder	oder
14:00 Uhr	**14:05 Uhr**	**14:15 Uhr**	**14:20 Uhr**
zwei Uhr	fünf nach zwei	Viertel nach zwei	zehn vor halb drei
		viertel drei	zwanzig nach zwei

2:30 Uhr	**2:40 Uhr**	**2:45 Uhr**	**2:55 Uhr**
oder	oder	oder	oder
14:30 Uhr	**14:40 Uhr**	**14:45 Uhr**	**14:55 Uhr**
halb drei	zehn nach halb drei	drei viertel drei	fünf vor drei
	zwanzig vor drei	Viertel vor drei	

Manchmal sagt man auch ganz genau:

23:59:04

Es ist jetzt 23 Uhr, 59 Minuten und 4 Sekunden.

Essen und Trinken

Brot

Apfel

Käse

Orange

Trauben

Schokolade

Tomate

Spagetti

Saft

Milch

Pizza

Salat

Hühnchen

Wurst

Wasser

Salz

der Apfel, *die Äpfel*
Äpfel **sind rund und
wachsen an Bäumen:**
Mama sagt immer:
„Äpfel sind sehr gesund."

die Banane, *die Bananen*
Bananen **haben eine
gelbe Schale:** Jan isst
gerne Bananen.

die Birne, *die Birnen*
Birnen **sind Äpfeln sehr
ähnlich, aber sie sind
nicht rund.**

bitte
**Wenn du um etwas bittest,
sagst du „bitte":** Gib mir mal
bitte das Salz.

bitten
**Wenn du jemanden bittest,
etwas zu tun, tut er es, wenn er
nett ist und Zeit hat:** Mama hat
mich gebeten, ihr zu helfen.

die Bohne, *die Bohnen*
Bohnen **isst man nur
gekocht. Sie sind lang
und meistens grün:**
Heute gibt es Bohnen
als Gemüse.

das Brot, *die Brote*
Brot **wird aus Mehl
gemacht. Man kann
es mit Käse, Wurst
oder Marmelade essen:**
Ich gehe oft zum Bäcker und
kaufe frisches Brot.

das Brötchen, *die Brötchen*
Brötchen **sind wie
Brot, aber klein
und meistens rund:**
Am Samstag gibt es bei
uns oft Brötchen zum Frühstück.
= *die Semmel*

die Butter
Butter **tut man aufs
Brot. Das macht man
mit einem Messer.**

die Chips
Chips **sind salzig.
Sie werden aus
Kartoffeln gemacht:**
Ich habe eine Tüte Chips
aufgemacht.

danke
**Du sagst „danke", wenn du
jemandem danken willst:**
Danke, dass du mir geholfen hast!

danken

> **Wenn dir jemand hilft oder dir**
> **etwas gibt, dann dankst du**
> **ihm:** Ich danke dir!
> *= sich bedanken*

das Ei, *die Eier*

> **Eier bekommen wir von**
> **den Hühnern:** Ich esse
> gerne ein gekochtes Ei
> zum Frühstück.

entfernen

> **Wenn man etwas entfernt, ist es**
> **nicht mehr da:** Bei Orangen
> muss die Schale vor dem Essen
> entfernt werden.
> *= abmachen*

die Erbse, *die Erbsen*

> **Erbsen sind klein,**
> **rund und grün.**
> **Man isst sie als Gemüse.**

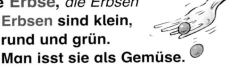

die Erdbeere, *die Erdbeeren*

> **Erdbeeren wachsen**
> **früh im Sommer. Sie**
> **sind rot und schmecken**
> **gut auf Kuchen.**

sich ernähren

> **Du ernährst dich von dem, was**
> **du isst und trinkst:** Mama will,
> dass wir uns gesund ernähren.
> Kühe ernähren sich von Gras.

essen

> **Jeder Mensch muss essen.**
> **Wenn du zu wenig isst, hast**
> **du keine Kraft und wirst ganz**
> **dünn:** Hast du schon mal
> Pfannkuchen gegessen?

fein

> **Wenn etwas sehr dünn ist,**
> **kann man auch „fein" sagen:**
> Der Schinken ist in feine Scheiben
> geschnitten.
> *= dünn*

fett

> **Wenn Tiere viel Futter**
> **bekommen, wird das Fleisch**
> **fett:** Das Fleisch von Schweinen
> ist fett.

das Fett

> **Der weiße Rand an**
> **Schinken und**
> **Fleisch ist Fett.**
> **Auch in Käse und**
> **Milch ist viel Fett:**
> Zu viel Fett ist nicht gesund.

der Fisch, *die Fische*
Fische leben im Wasser:
Isst du gern Fisch?

fressen
Tiere essen nicht, sie fressen:
Felix frisst gern Mäuse. Hat Hexi heute schon etwas gefressen?

füllen
Wenn du Sachen in etwas tust, so dass es voll wird, dann füllst du es: Heute
gibt es bei uns gefüllte Paprika.

das Futter
Futter ist das, was ein Tier frisst: Hexi wartet schon auf ihr Futter.
= das Fressen
Hundefutter: **Futter für Hunde**
Katzenfutter: **Futter für Katzen**

das Gemüse, *die Gemüse*
Gemüse wird meistens gekocht. Bohnen, Erbsen und Karotten sind Gemüse:
Heute Mittag gibt es Kartoffeln, Fleisch und Gemüse.

der Geruch, *die Gerüche*
Gerüche riechst du mit deiner Nase: Was ist das für ein Geruch? Ich glaube, das riecht nach Pizza.

der Geschmack
Mit deiner Zunge schmeckst du den Geschmack von etwas: Ich liebe den Geschmack von Schokolade.

gesund
Alles, was dir hilft, nicht krank zu werden, ist gesund: Obst ist gesund.

das Gummibärchen,
die Gummibärchen
Gummibärchen sehen aus wie Teddys. Sie sind weich und süß.

die Gurke, *die Gurken*
Gurken **sind
lang und grün.
Wir essen sie gerne
zum Brot oder im Salat.**

die Kartoffel, *die Kartoffeln*
Kartoffeln **wachsen unter
der Erde. Sie müssen
gekocht werden:** Was hast du lieber –
Nudeln oder Kartoffeln?

das Hähnchen, *die Hähnchen*
Hähnchen **sind Hühner,
die wir essen:** Daniel
isst gerne Hähnchen
mit Pommes.
= *das Hühnchen*

der Käse
Käse **wird aus Milch
gemacht. Man isst ihn
besonders zum Brot:**
Magst du viel oder wenig Käse
auf deine Pizza?

der Honig
Honig **ist gelb und sehr
süß. Man isst ihn auf
Brot oder tut ihn in
heiße Milch oder Tee.**

der Keks, *die Kekse*
Kekse **sind hart und
süß. Sie werden aus
Mehl gemacht.**

der Kaffee
Erwachsene trinken
gern Kaffee. Kaffee ist
schwarz: Mama trinkt
morgens immer Kaffee.

kochen
Wenn jemand etwas
kocht, macht er
warmes Essen: Papa
kann gut kochen. Was
kocht Mama zum
Mittagessen?

die Karotte, *die Karotten*
Karotten **sind ein
Gemüse. Man kann sie
aber auch so essen,
ohne sie zu kochen.**
= *die Möhre*

das Kraut, *die Kräuter*
Kräuter **nimmt man
für Salat und zum
Kochen, damit das
Essen besser schmeckt.**

die Lebensmittel
Lebensmittel
sind Sachen
zum Essen
und Trinken.

die Nahrung
Was Menschen essen oder
Tiere fressen, ist ihre Nahrung:
Viele Menschen in armen Ländern
haben nicht genug Nahrung.

mal
Wenn du willst, dass jemand
etwas tut, sagst du „mal“:
Riech mal: Was ist denn das?
Gib mir mal bitte das Salz.
= einmal

die Nudel, *die Nudeln*
Nudeln sind hart und
aus Mehl gemacht.
Man kocht sie in
Wasser, dann werden sie
weich: Ich esse viel lieber Nudeln
als Kartoffeln.

die Marmelade, *die Marmeladen*
Marmelade wird aus
Obst gekocht und ist
sehr süß. Man tut sie
aufs Brot.

die Nuss, *die Nüsse*
Nüsse haben eine
harte Schale: Oma
hat einen Kuchen mit
Nüssen gebacken.

die Milch
Kühe geben Milch. Sie
ist weiß: Jan trinkt jeden
Tag zwei Flaschen Milch.

das Obst
Süße Früchte wie
Äpfel, Bananen und
Birnen heißen Obst:
Mama will, dass wir viel Obst und
Gemüse essen.

das Müsli, *die Müslis*
Müsli isst man am
Morgen. Man isst es
mit Milch: Mama tut
mir oft Nüsse und Äpfel ins Müsli.

die Orange, *die Orangen*
Orangen sind süß und
ein bisschen sauer,
und sie haben eine
dicke Schale.

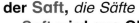

die Paprika, *die Paprikas*
Paprikas **sind rot, gelb
oder grün. Wir essen
sie als Gemüse oder
im Salat.**

der Pilz, *die Pilze*
Pilze **kann man kaufen
oder im Wald finden:**
Ich mag Pizza mit Pilzen
am liebsten.

die Pizza, *die Pizzas*
Pizza **ist dünn. Man
macht sie aus Mehl:**
Ich will auf meiner
Pizza Tomaten, Schinken,
Pilze und viel Käse haben.

die Pommes
Pommes **werden aus Kartoffeln
gemacht. Sie sind
lang und gelb:**
Magst du Schnitzel
mit Pommes?
= *Pommes frites*

riechen
**Du benutzt deine Nase, wenn du
wissen willst, wie etwas** riecht:
Hier riecht es aber gut nach Pizza!

der Saft, *die Säfte*
Saft **wird aus Obst oder
Gemüse gemacht:**
Ich trinke lieber Saft als
Limo.
Apfelsaft:
Saft aus Äpfeln
Karottensaft:
Saft aus Karotten

der Salat, *die Salate*
**1 Blätter, die wir
essen, ohne sie
zu kochen, heißen
(grüner)** Salat:
Mama hat Salat gekauft.
2 Salate **werden kalt gegessen.
Man kann sie aus vielen
Sachen machen:** Mama hat
Tomaten, Paprika und Gurken in
den Salat getan.

das Salz
Salz **ist weiß. Man
braucht es zum
Kochen:** Das Wasser
im Meer schmeckt stark nach Salz.

salzig
Was salzig **ist, schmeckt nach**
Salz: Ich mag die Pommes nicht
zu salzig.

sauer
> **Zitronen schmecken sauer:**
> Die Milch kann man nicht mehr
> trinken, sie ist sauer geworden.
> Magst du saure Sachen?

die Schale, *die Schalen*
> **Eier, Orangen und Bananen**
> **haben außen Schalen, die man**
> **nicht essen kann.**

der Schinken, *die Schinken*
> **Schinken ist Fleisch,**
> **das man kalt aufs**
> **Brot tut:** Ich esse
> ein Brot mit Schinken.

schmecken
> **Wenn dir etwas schmeckt,**
> **dann isst oder trinkst du es**
> **gern:** Hmm, die Pizza hat gut
> geschmeckt!

das Schnitzel, *die Schnitzel*
> **Schnitzel macht**
> **man aus dünnen**
> **Scheiben Fleisch:**
> Gestern gab es bei
> uns Schnitzel mit Pommes.

die Schokolade,
> *die Schokoladen*
> **Schokolade ist**
> **braun und süß.**

die Spagetti
> **Spagetti sind sehr**
> **lange und dünne**
> **Nudeln:** Isst du gerne
> Spagetti?

sich stärken
> **Wenn wir uns stärken, essen**
> **(und trinken) wir etwas, um**
> **neue Kraft zu bekommen:** Nach
> dem Schwimmen stärken wir uns
> gern mit Schokolade.

die Suppe, *die Suppen*
> **Suppen sind flüssig.**
> **Man isst sie mit**
> **einem Löffel:**
> Wenn es kalt ist,
> esse ich gerne eine heiße Suppe.
> *Tomatensuppe:* **Suppe aus**
> **Tomaten**

süß
> **Schokolade und Eis schmecken**
> **süß:** Ich tue Zucker in den Tee,
> damit er süß wird.

die Süßigkeiten
> **Gummibärchen und**
> **Schokolade sind Süßigkeiten.**
> **Sie werden mit viel Zucker**
> **gemacht:** Süßigkeiten sind
> schlecht für die Zähne.

der Tee
Tee macht man aus trockenen Blättern und heißem Wasser: Oma trinkt gern Tee.

das Wasser
Wasser hat keine Farbe und keinen Geschmack. Man kann es trinken oder es zum Kochen und Waschen benutzen.

die Tomate, *die Tomaten*
Tomaten sind rot und meistens rund. Wir essen sie gern zum Brot oder im Salat.

die Wurst, *die Würste*
Wurst wird aus Fleisch gemacht. Es gibt Wurst, die man in Scheiben schneidet und aufs Brot legt, und es gibt Würste, die man heiß isst.

die Traube, *die Trauben*
Trauben wachsen im Herbst und sind blau oder grün.

die Zitrone, *die Zitronen*
Zitronen sind gelb und sehr sauer.

trinken
Wasser, Milch und Saft kann man trinken: Oma trinkt gern Tee. Hast du schon einmal Kaffee getrunken?

der Zucker
Zucker ist weiß und süß: Oma tut viel Zucker in ihren Tee.

tun
Du kannst Sachen auf den Tisch, in den Schrank oder in eine Tasche tun: Mama tut Zucker in ihren Kaffee. Ich habe die Milch in den Kühlschrank getan.

die Zwiebel, *die Zwiebeln*
Zwiebeln haben viele Häute. Wenn du sie schneidest, kommen dir Tränen.

In der Schule

Buch

Filzstift

Zeugnis

Lineal

Zahl

Schere

Füller

Schreiben

Frage

Buchstabe

Heft

Papier

Bleistift

andere

1 Man kann über sich selbst sprechen und die anderen: In der Pause spiele ich mit den anderen Kindern.
2 Du nimmst das Wort andere, wenn etwas nicht so ist wie dieses: Kennst du ein anderes Wort für „Anfang"?

anders

Wer oder was anders ist, ist nicht so wie etwas oder jemand: Du musst das anders machen, so ist es falsch.

die Antwort, *die Antworten*

Eine Antwort ist das, was man sagt, wenn man etwas gefragt wurde: Weißt du die richtige Antwort auf die Frage der Lehrerin?

antworten

Wenn man dich etwas fragt, antwortest du: Was hättest du auf die Frage geantwortet?

die Aufgabe, *die Aufgaben*

Eine Aufgabe ist etwas, das du tun sollst, zum Beispiel eine Rechnung: Wir sollen die Aufgaben 2 bis 7 zu Hause rechnen.

der Aufsatz, *die Aufsätze*

Aufsätze sind Geschichten, die du für die Schule schreibst: Wir haben einen Aufsatz über die Ferien geschrieben.

das Beispiel, *die Beispiele*

Wenn ein Lehrer etwas erklärt, dann benutzt er oft Beispiele, damit wir ihn leichter verstehen: Auf einem Bauernhof gibt es viele Tiere, zum Beispiel Kühe, Schweine und Hühner.

das Blatt, *die Blätter*

Ein Stück Papier heißt Blatt: Aischa, kann ich ein Blatt von deinem Block haben?
Arbeitsblatt: **ein Blatt mit Aufgaben**

bleiben

Wenn du an einem Platz bleibst, gehst du nicht weg. Wenn du sitzen oder liegen bleibst, stehst du nicht auf: Gestern war ich krank und bin zu Hause geblieben.

der Block, *die Blöcke*

In einem Block sind viele Blätter Papier.

das Buch, *die Bücher*
  Wenn wir Bücher
  lesen, lernen wir etwas oder
  haben Spaß: Wir rechnen
  eine Aufgabe aus
  dem Buch.
  Schulbuch: **ein**
  Buch zum Lernen
  in der Schule
  Wörterbuch: **ein Buch,**
  in dem Wörter erklärt werden

der Buchstabe, *die Buchstaben*
  Buchstaben schreibt
  man. Die kleinen
  Buchstaben sind
  a, b, c, d, … Die
  großen Buchstaben
  sind A, B, C, D, …: Wie viele
  Buchstaben hat dein Name?

deutlich
  Wenn du deutlich sprichst,
  versteht man dich gut. Wenn du
  deutlich schreibst, kann man es
  gut lesen.

das Deutsch
  Deutsch ist die Sprache, die in
  Deutschland, Österreich und in
  Teilen der Schweiz gesprochen
  wird. Das Fach, in dem wir
  lesen und schreiben lernen,
  heißt auch Deutsch: Joschko
  spricht schon gut Deutsch.

die Einzahl
  In der Einzahl steht ein Wort,
  wenn nur eine Sache oder ein
  Mensch da ist: Die Einzahl von
  „Häuser" ist „Haus".

endlich
  Du sagst „endlich", wenn du
  schon lange auf etwas gewartet
  hast: Endlich ist die Schule aus!

erklären
  Wenn du etwas nicht
  verstehst, muss es
  dir jemand erklären:
  Die Lehrerin hat mir
  erklärt, wie ich die Aufgabe
  rechnen muss.

das Fach, *die Fächer*
  In der Schule haben wir
  verschiedene Fächer. In jedem
  Fach lernen wir etwas anderes:
  Deutsch und Turnen sind meine
  liebsten Fächer, Rechnen habe
  ich nicht so gern.

falsch
  Was falsch ist, ist nicht
  richtig: Das ist falsch.
  Ich habe falsch
  gerechnet.

$12 \times 4 = 46$

der Fehler, *die Fehler*
Ein Fehler ist etwas, das falsch ist: Ich habe in der Rechnung einen Fehler gemacht.

fertig
Wenn nichts fehlt und nichts mehr zu tun ist, ist jemand oder etwas fertig: Wenn wir mit den Rechnungen fertig sind, dürfen wir ein Bild malen.

der Fleiß
Fleiß ist, wenn man fleißig ist: Die Lehrerin hat Aischa für ihren Fleiß gelobt.

fleißig
Du bist fleißig, wenn du viel lernst oder arbeitest: Joschko hat fleißig Deutsch gelernt, jetzt kann er es schon sehr gut.

die Frage, *die Fragen*
Eine Frage ist das, was man sagt, wenn man etwas fragt.
+ *eine Frage stellen*
(= etwas fragen):
Die Lehrerin hat mir eine Frage gestellt: „Wie viel ist 4 mal 12, Hannah?"

fragen
Wenn du etwas wissen willst, fragst du: Die Lehrerin hat gefragt: „Wer kann Hannah helfen?"

der Füller, *die Füller*
In der Schule schreiben wir mit Füllern.

der Hamster, *die Hamster*
Hamster sind kleine braune Tiere mit scharfen Zähnen: Unsere Klasse hat einen Hamster.

das Heft, *die Hefte*
In der Schule haben wir viele Hefte, in die wir schreiben.

der Herr, *die Herren*
„Herr" sagst du, wenn du von oder mit einem Mann sprichst, der nicht zu deiner Familie gehört oder dein Freund ist:
Turnen haben wir bei Herrn Sturm. Herr Sturm, darf ich mal auf die Toilette?

der Hof, *die Höfe*
> **Die Schule hat einen Hof:** In der Pause gehen wir auf den Hof.
> *= der Pausenhof, der Schulhof*

der Käfig, *die Käfige*
> **Manchmal tut man Tiere in Käfige, damit sie da bleiben:** Auf dem Tisch steht ein Käfig mit einem Hamster.

die Karte, *die Karten*
> **In meiner Klasse hängt eine Karte von Deutschland an der Wand. Da kann man sehen, welche Städte und Flüsse es dort gibt.**
> *= die Landkarte*

kennen
> **Wenn du etwas kennst, hast du es schon einmal gehört, gesehen oder gelernt:** Die Geschichte, die wir heute gelesen haben, habe ich schon gekannt.

die Klasse, *die Klassen*
> **1 Die Kinder, die mit mir in der Schule in einem Zimmer sitzen und lernen, sind meine Klasse:** Wie viele Kinder seid ihr in deiner Klasse?
> *= die Schulklasse*

> **2 Das Zimmer, in dem wir sitzen und lernen, ist unsere Klasse:** Wenn Frau Müller in die Klasse kommt, grüßen wir sie.
> *= das Klassenzimmer*
> **+ *in der ersten, zweiten, dritten, ... Klasse* (= im ersten, zweiten, dritten, ... Jahr in der Schule)**

die Kreide, *die Kreiden*
> **Mit Kreide schreibt man an die Tafel.**

der Lehrer, *die Lehrer*
> **In der Schule gibt es Lehrer. Von ihnen lernen wir lesen, schreiben, rechnen und anderes:** Frag deinen Lehrer, wenn du etwas nicht verstehst.

die Lehrerin,
die Lehrerinnen
Eine Frau, die Lehrer
ist, heißt Lehrerin:
Unsere Lehrerin ist
Frau Müller.

leicht
Etwas ist leicht, wenn man es
schnell lernt oder weiß: Diese
Aufgabe ist leicht.
= einfach

$2 + 2 =$

lernen
Was man noch
nicht kann oder weiß,
muss man lernen:
Joschko hat
schnell
Deutsch gelernt.

lesen
Wenn du in ein Buch schaust
und verstehst, was da steht,
dann kannst du lesen:
Aischa liest ein
neues Buch über
Pferde. Wir
haben in der
Klasse zusammen
eine Geschichte gelesen.
vorlesen: **laut für andere lesen**

das Lexikon, *die Lexika*
Ein Lexikon ist ein Buch mit
Informationen über sehr viele
Sachen. Es ist so gemacht,
dass man alles schnell finden
kann: Ich habe zu Hause ein
Lexikon über Tiere.

das Lineal, *die Lineale*
Mit einem Lineal kannst
du ganz gerade Striche
machen.

das Lob
Wenn jemand sagt, dass du
etwas gut gemacht hast, ist das
ein Lob: Ich habe ein Lob für
mein Bild bekommen.

loben
Dein Lehrer lobt dich, wenn du
etwas gut machst: Frau Müller
hat mich für mein schönes Bild
gelobt.

die Lösung, *die Lösungen*
Wenn du etwas rechnest,
hast du am Ende eine
Lösung: Die
richtige Lösung
bei dieser Aufgabe ist 48.
= das Ergebnis

$12 \times 4 = 48$

das Mäppchen, *die Mäppchen*
In dein Mäppchen tust du die Stifte, die du in der Schule brauchst.

Mathe
Mathe ist das Fach, in dem wir rechnen lernen: Joschko hat gute Noten in Mathe.

die Mehrzahl
In der Mehrzahl steht ein Wort, wenn mehr als eine Sache oder ein Mensch da ist: Die Mehrzahl von „Baum" ist „Bäume".

sich melden
Wenn du in der Schule eine Antwort weißt, meldest du dich: Hannah hat sich heute in Rechnen oft gemeldet.

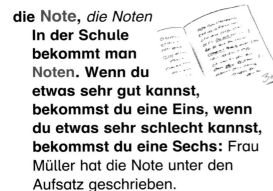

die Note, *die Noten*
In der Schule bekommt man Noten. Wenn du etwas sehr gut kannst, bekommst du eine Eins, wenn du etwas sehr schlecht kannst, bekommst du eine Sechs: Frau Müller hat die Note unter den Aufsatz geschrieben.

das Papier, *die Papiere*
Auf Papier kann man schreiben und malen: Aischa, hast du mal ein Blatt Papier für mich?

die Pause, *die Pausen*
In der Schule gibt es Pausen. In den Pausen gehen wir in den Hof, essen und trinken und reden mit unseren Freunden: Mama hat mir für die Pause einen Apfel und ein Brot gegeben.

der Pinsel, *die Pinsel*
Mit Pinseln kann man Bilder malen. Man braucht dann auch noch Wasser und Farben.

das Problem, *die Probleme*
Ein Problem ist, wenn man etwas schwierig findet oder nicht weiß, was man tun soll: Ich habe manchmal Probleme beim Rechnen.
= Schwierigkeit

der Radiergummi,
die Radiergummis
Mit einem Radiergummi
**kann man etwas
entfernen, das man
mit Bleistift geschrieben
oder gezeichnet hat.**

der Rand, *die Ränder*
Die Ränder **sind
die Teile ganz
außen:** Die Lehrerin
hat am Rand Striche
für die Fehler gemacht.

3+

rechnen
Mit Zahlen kann man rechnen:
Ich habe die Aufgabe falsch
gerechnet.

$$12 \times 4 = 46 \quad 8$$

die Rechnung, *die Rechnungen*
Eine Rechnung **ist, wenn man
etwas rechnet:** Wir haben heute
sechs Rechnungen als
Hausaufgabe.

$$2 + 2 =$$

reden
Wenn du redest, **sprichst du mit
jemandem:** Ich habe heute noch
nicht mit Joschko geredet. Mama
findet, ich rede zu viel.

reißen
Wenn du an etwas reißt,
**ziehst du plötzlich
und mit viel Kraft:**
Aischa hat ein Blatt aus
ihrem Block gerissen.

richtig
Wenn etwas richtig **ist, ist
es so, wie es sein soll:**
Die Lösung war nicht
richtig. Habe ich
jetzt richtig gerechnet?
= fehlerfrei

$$12 \times 4 = 46 \quad 8$$

die Ruhe
Wenn alles still ist, ist Ruhe:
Frau Müller hat um Ruhe gebeten.

sagen
Wenn du etwas sagst, **sprichst
du Wörter und Sätze:** „Aischa,
was hast du gerade gesagt?"

der Satz, *die Sätze*
Aus Wörtern kann man Sätze
bauen, um etwas zu sagen: Wir
sollen eine Geschichte mit
mindestens sechs Sätzen
schreiben.

die Schere, *die Scheren*
Mit Scheren **kann
man schneiden.**

schneiden

> **Mit einer Schere oder einem Messer kann man** schneiden: Wir haben Bilder aus der Zeitung geschnitten.
> *abschneiden* (**so dass es weg ist**): den Rand abschneiden
> *ausschneiden* (**so dass der Rand weg ist**): Bilder ausschneiden

schreiben

> **Du kannst mit Stiften, Kreide oder einem Computer Buchstaben, Zahlen und Wörter** schreiben: Frau Müller hat uns Aufgaben an die Tafel geschrieben.

die Schule, *die Schulen*

> **Kinder gehen in die Schule, um zu lernen:** Gehst du gern in die Schule?

der Schüler, *die Schüler*

> **Ein Schüler ist ein Kind, das in die Schule geht:** An unserer Schule gibt es 800 Schüler.

die Schülerin, *die Schülerinnen*

> **Eine Schülerin ist ein Mädchen, das in die Schule geht:** Aischa ist eine gute Schülerin.

schweigen

> **Wenn du nichts sagst,** schweigst du: Frau Müller will, dass wir jetzt schweigen.

schwierig

> **Etwas ist schwierig, wenn es lange dauert, bis man es kann oder weiß:** Ich finde die Aufgaben, die wir rechnen müssen, schwierig.
> *= schwer*

die Seite, *die Seiten*

> **Ein Blatt Papier hat zwei Seiten: vorne und hinten. In Büchern haben die Seiten Nummern:** Wir lesen eine zwei Seiten lange Geschichte im Buch. Sie fängt auf Seite 125 an.

die Skizze, *die Skizzen*

> **Skizzen sind Zeichnungen, die man schnell macht, damit jemand sieht, wie etwas ist:** Ich habe eine Skizze von meinem Zimmer gemacht.

skizzieren

> **Wenn du eine Skizze machst,**
> **skizzierst du etwas:** Ich habe
> mein Zimmer skizziert.

spitz

> **Wenn Stifte spitz sind, machen**
> **sie dünne Striche.**

die Spitze, *die Spitzen*

> **Mit der Spitze schreibt der**
> **Stift:** Die Spitze ist ab.

der Spitzer, *die Spitzer*

> **Spitzer machen Stifte**
> **wieder spitz.**

die Sprache, *die Sprachen*

> **In Deutschland sprechen wir**
> **Deutsch, das ist unsere**
> **Sprache:** Welche Sprache spricht
> man in der Türkei?

sprechen

> **Menschen können sprechen.**
> **Das tun sie in verschiedenen**
> **Sprachen:** Frau Müller hat
> gestern mit Mama über meine
> Noten gesprochen.

die Stange, *die Stangen*

> **Stangen sind lang**
> **und hart. Ein Käfig**
> **hat viele Stangen:**
> Der Hamster kann
> die Stangen nicht zerbeißen.
> *= der Stab*

der Stift, *die Stifte*

> **Mit Stiften schreiben**
> **und zeichnen**
> **wir:** Kannst du
> mir mal einen Stift leihen,
> Aischa?
> *Bleistift*: **Bleistifte schreiben**
> **schwarz.**
> *Buntstift*: **Mit Buntstiften malt**
> **man bunte Bilder.**
> *Filzstift*: **Filzstifte haben eine**
> **weiche Spitze.**

still

> **Wenn du nichts sagst, bist du**
> **still. Wenn nichts zu hören ist,**
> **ist es still:** Joschko, sei still!
> **+ *still liegen/sitzen/stehen***
> **(= sich nicht bewegen)**

stimmen

> **Wenn etwas stimmt, ist es**
> **richtig oder wahr:**
> Jetzt stimmt die
> Lösung. Frau
> Müller, stimmt es, dass Herr
> Sturm krank ist?

$12 \times 4 = 46$

der Strich, *die Striche*
Striche **sind dünn. Du machst**
sie mit einem Stift:
Für ein Kreuz braucht
man zwei Striche.
= *die Linie*

stumpf
Wenn Stifte stumpf sind,
machen sie dicke Striche.

die Stunde, *die Stunden*
In der Schule hast du jeden Tag
mehrere Stunden. Du lernst in
ihnen verschiedene Sachen: Am
Dienstag haben wir in der ersten
Stunde Rechnen.
= *die Schulstunde,*
Unterrichtsstunde

der Stundenplan,
die Stundenpläne
Auf dem Stundenplan
steht, was du wann in
der Schule machst:
Am Montag stehen bei
uns Deutsch, Rechnen, Musik und
Turnen auf dem Stundenplan.

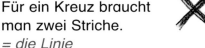

die Tafel, *die Tafeln*
In den Klassen hängen
Tafeln an der Wand:
Die Lehrerin schreibt
unsere Aufgaben an
die Tafel.

der Text, *die Texte*
Texte sind Geschichten, die wir
in der Schule lesen. Oft
bekommen wir Aufgaben zu den
Texten: Wir sollen den Text auf
Seite 122 lesen und üben.

turnen
Die Stunde, in der wir in der
Schule Sport machen, heißt
Turnen: Turnst du gern?

die Turnhalle, *die Turnhallen*
Die Turnhalle ist ein großer
Raum in der Schule, in dem wir
turnen.

üben
Wenn man etwas noch nicht gut
kann, muss man es üben: Ich
hätte gern bessere Noten in
Rechnen, darum übe ich fleißig.

der Unterricht
    **Die Zeit, die man mit einem
    Lehrer lernt, heißt Unterricht:** In
    den Ferien ist kein Unterricht.

---

verbessern
    **Etwas Falsches kann man
    verbessern, damit es richtig
    wird:** Ich habe den Fehler in der
    Rechnung verbessert.

---

verstehen
    **Wenn du etwas nicht verstehst,
    weißt du nicht, wie es geht oder
    was jemand sagen will:** Sprich
    lauter, damit ich dich verstehe.
    Diese Aufgabe habe ich nicht
    verstanden.

---

wichtig
    **Was du im Leben brauchst und
    können musst, ist wichtig für
    dich:** Es ist wichtig, lesen und
    schreiben zu können.

---

wiederholen
    **Wenn man etwas wiederholt,
    sagt oder tut man es noch
    einmal:** Kannst du das bitte
    wiederholen? Peter hat die vierte
    Klasse wiederholt.

wissen
    **Was du weißt, hast du im
    Kopf und kannst es
    sagen:** Weißt du, wie
    viel drei mal vier ist?
    Aischa hat die Antwort gewusst.

---

das Wort, *die Wörter*
    **In jeder Sprache gibt es sehr
    viele Wörter. Wir können lernen,
    die Wörter zu verstehen:** Das
    erste Wort im Satz schreibt man
    groß.

---

die Zahl, *die Zahlen*
    **1, 2, 3, … sind Zahlen.
    Zahlen braucht man
    zum Zählen und
    Rechnen:** Welche Zahl kommt
    nach der 9?

---

zählen
    **Wenn du wissen willst, wie viele
    Kinder auf dem Bild sind, musst
    du sie zählen: eins, zwei, drei,
    vier, fünf, sechs, …:** Es sind 22
    Kinder. Habe ich richtig gezählt?

zeichnen
Mit Stiften
kannst du
Bilder
zeichnen:
Ich habe
eine Blume
gezeichnet.

---

die Zeichnung, *die Zeichnungen*
Bilder, die du zeichnest, sind
Zeichnungen: Ich habe eine
Zeichnung von einer Blume
gemacht.

---

das Zeugnis, *die Zeugnisse*
In deinem Zeugnis
stehen deine
Noten: Am
letzten Tag vor
den Ferien gibt
es Zeugnisse.

Rechnen	
1 + 2 eins plus zwei und	
4 − 1 vier minus eins weniger	= 3 ist drei gibt drei macht drei
1 · 3 ein mal drei	
9 : 3 neun durch drei geteilt durch	

Grüße	
Am Morgen:	Guten Morgen!
Am Tag:	Guten Tag!
Am Abend:	Guten Abend!
Unter Freunden:	Hallo!
Wenn du gehst:	Auf Wiedersehen! Tschüs!, Tschüss! Bis später! Bis morgen! Bis zum nächsten Mal!
Wenn du ins Bett gehst:	Gute Nacht!
Wenn am Freitag die Schule aus ist:	Schönes Wochenende!
Am letzten Schultag:	Schöne Ferien!

Tor

Rad fahren

malen

Fußball

**Schlittschuh
fahren**

rennen

tanzen

Klavier

Ski fahren

laufen

sammeln

werfen

Kino

Geschichte

allein

Wenn du allein bist, ist kein anderer da. Wenn du etwas allein tust, hilft dir keiner und macht keiner mit: Wenn Aischa keine Zeit hat, muss ich allein spielen.

der Anfang, *die Anfänge*

Der Anfang ist der erste Teil von etwas: Am Anfang war das Buch sehr lustig.
= der Beginn

aufhören

Wenn etwas aufhört, ist das sein Ende: Hoffentlich hört der Regen bald auf, damit ich in den Garten kann.

ausgehen

Wenn man in der Freizeit ins Kino oder Theater oder zum Tanzen geht, dann geht man aus: Oma und Opa sind gestern zum Essen ausgegangen.

der Ball, *die Bälle*

Bälle sind rund. Man spielt damit.

beginnen

Wenn etwas beginnt, ist das sein Anfang: Der Film hat schon begonnen.
= anfangen

besetzt

Wenn ein Platz besetzt ist, ist er nicht mehr frei: Ist der Platz hier schon besetzt?

das Bild, *die Bilder*

Bilder macht man auf Papier: Ich habe ein Bild von einer Blume gemalt.

boxen

Boxen ist ein Sport: Daniel boxt.

die Briefmarke, *die Briefmarken*

Auf Briefen sind Briefmarken: Papa sammelt Briefmarken.

bunt

Was bunt ist, ist nicht nur schwarz und weiß, sondern hat auch andere Farben: Jan mag Bücher mit bunten Bildern.

denken

Wenn du nicht
schläfst, geschieht
immer etwas
in deinem Kopf –
du denkst: Adrian,
was hast du gerade gedacht?

---

sich drehen
Was sich im Kreis bewegt,
dreht sich: Beim Fahren drehen
sich die Räder.

---

das Ende, *die Enden*
Das Ende ist der letzte Teil von
etwas: Am Ende war das Buch
traurig.
= *der Schluss*
+ *zu Ende sein* (aus oder fertig
sein): Um wie viel Uhr ist der Film
zu Ende?

---

die Entfernung, *die Entfernungen*
Wie weit etwas weg ist, sagt dir
die Entfernung: Wir fahren gern
mit dem Rad, aber für größere
Entfernungen ist das Auto besser.

---

erlauben
Wenn deine Eltern dir etwas
erlauben, dann darfst du es
tun: Gestern haben meine Eltern
mir nicht erlaubt, schwimmen zu
gehen.

die Erlaubnis
Wenn deine Eltern dir etwas
erlauben, hast du ihre
Erlaubnis, es zu tun: Ich muss
meine Eltern zuerst um Erlaubnis
bitten.

---

erzählen
Du erzählst jemandem
ein Erlebnis oder
eine Geschichte:
Adrian erzählt Papa
etwas Lustiges.

---

die Erzählung, *die Erzählungen*
Eine Erzählung ist eine
Geschichte, die jemand erzählt:
Aischa kennt die Türkei nur aus
den Erzählungen ihrer Eltern.

---

fahren
Wenn man fährt,
bewegt man sich
schnell mit einem
Auto, Zug, Boot, …:
Mama fährt gern Rad.
In den Ferien sind wir nach Italien
gefahren.
losfahren: beginnen zu fahren:
Wann fahren wir endlich los?

fangen

Einen Ball, der durch die Luft fliegt, kann man mit den Händen fangen: Fang den Ball, Mama! Oh, warum hast du ihn nicht gefangen?

das **Feuer**, *die Feuer*

Feuer ist heiß und hell: Es ist verboten, im Wald Feuer zu machen.

der **Film**, *die Filme*

Filme sind Geschichten in Bildern, die sich bewegen: Im Kino kommt ein guter Film, den ich sehen will.

frei

1 Wenn ein Platz frei ist, sitzt da keiner: Ist der Platz noch frei?
2 An einem freien Tag muss man nicht arbeiten oder in die Schule.
freihaben: **einen freien Tag haben:** Sonntag hat Papa frei.

die **Freizeit**

Freizeit ist die Zeit, in der man nicht arbeiten oder lernen muss: Mama liest in ihrer Freizeit gern.

der **Fußball**, *die Fußbälle*

Fußball ist ein Spiel mit einem Ball. Man schießt den Ball mit dem Fuß: Adrian spielt mit Onkel Michael Fußball.

die **Geschichte**, *die Geschichten*

Geschichten werden erzählt oder geschrieben, damit wir etwas Neues lernen oder Spaß haben: Mama liest uns oft Geschichten vor.

das **Gesetz**, *die Gesetze*

Gesetze sagen, was die Menschen in einem Land tun müssen oder dürfen: Kinder dürfen abends nicht allein ausgehen, das ist ein Gesetz.

Gesetz zum Schutz der Jugend in der Öffentlichkeit
§

gewinnen
    Wenn du beim Spiel oder im
    Sport gewinnst, hattest du mehr
    Glück oder warst besser als die
    anderen: Adrians Verein hat
    schon viele Spiele gewonnen.

glatt
    Wenn der Boden
    glatt ist, fällt man
    leicht: Das Eis ist
    zu glatt für die Kuh.

interessant
    Wenn etwas
    interessant ist,
    möchte man gerne
    mehr über es lernen:
    Adrian findet Spinnen
    interessant.

das Interesse, *die Interessen*
    Wenn man an etwas Interesse
    hat, möchte man es haben,
    tun oder mehr über es wissen:
    Mama hat kein Interesse an
    Fußball.

die Jugend
    Die Zeit, in der man jugendlich
    ist, ist die Jugend: Opa hat in
    seiner Jugend auch Fußball
    gespielt.

jugendlich
    Wenn man kein Kind mehr ist,
    aber auch noch nicht
    erwachsen, ist man jugendlich:
    Dieser Film ist für Jugendliche
    verboten.

kaputt
    Wenn etwas kaputt ist, kann
    man es nicht mehr benutzen:
    Mein Rad ist kaputt, hoffentlich
    bekomme ich bald ein neues.

das Kino, *die Kinos*
    Im Kino können
    viele Menschen
    sitzen und einen
    Film sehen:
    Ich gehe gern ins Kino.

klar
    Wenn du mit ja antworten willst,
    kannst du auch „klar" sagen:
    „Kommst du mit ins Kino?" –
    „Na klar!"

das Klavier, *die Klaviere*
    Mit einem Klavier
    kann man Musik
    machen:
    Oma kann
    Klavier spielen.

die Kraft, *die Kräfte*
**Wenn du etwas Schweres
nehmen und tragen willst,
brauchst du viel Kraft:**
Daniel hat noch nicht genug Kraft.

das Lied, *die Lieder*
**Wenn du zu Musik
singst, ist das ein
Lied:** Wenn jemand
Geburtstag hat,
singen wir für ihn ein Lied.

lachen
**Wenn wir fröhlich
sind, lachen wir
laut:** Papa lacht,
Adrian hat ihm
etwas Lustiges erzählt.

lustig
**Wenn etwas lustig
ist, muss man
lachen:** Adrian
erzählt Papa eine
lustige Geschichte.

laufen
**Wenn du läufst, bist du
schneller als wenn du
gehst:** Papa ist gestern
zwei Stunden gelaufen.
herumlaufen: **in
verschiedene Richtungen laufen:**
Hexi läuft gern im Garten herum.

machen
**1 Wir alle machen immer etwas:
Wir liegen, stehen, sitzen,
gehen, essen, arbeiten,
spielen, ...:** Was hast du gestern
Nachmittag gemacht?
= tun
**2 Du kannst mit deinen Händen
aus etwas andere Sachen
machen:** Oma will heute einen
Kuchen machen.

letzte
**Wenn jemand als Letzter kommt,
dann waren alle anderen schon
vorher da. Wenn etwas als
Letztes geschieht, ist alles
andere schon geschehen:** Der
Dezember ist der letzte Monat im
Jahr. Der Junge mit dem grünen
T-Shirt ist Letzter geworden.

malen
**Bilder kannst du mit
Stiften oder Pinseln
und Farben malen:**
Daniel hat für Mama
ein Bild gemalt.

die Mitte

Die Mitte ist zwischen Anfang und Ende, vorne und hinten, links und rechts oder oben und unten: Ich bin bei dem neuen Buch schon in der Mitte. Wenn ich mit meinen Eltern spazieren gehe, gehe ich am liebsten in der Mitte zwischen ihnen.

möglich

Wenn etwas möglich ist, kann man es tun, oder es kann geschehen: Ist es möglich, dass es im Sommer schneit?

die Möglichkeit, *die Möglichkeiten*
Wenn etwas möglich ist, ist das eine Möglichkeit: Wo Joschko wohnt, hat er keine Möglichkeit, Fußball zu spielen.

die Musik

Die meisten Menschen haben Musik gern. Wir hören sie auf CDs oder machen sie selbst, wenn wir singen oder Klavier spielen: Welche Musik hörst du gern?

die Nummer, *die Nummern*
Busse, Züge, die Plätze im Kino und viele andere Sachen haben eine Zahl als Nummer: Der Bus Nummer 5 fährt zum Schwimmbad.

nummerieren

Wenn man Sachen nummeriert, zählt man sie und gibt allen eine Nummer: Die Plätze im Kino sind nummeriert.

der Ort, *die Orte*
Wenn du wissen willst, wo etwas oder jemand ist, fragst du nach dem Ort: Treffen wir uns am gleichen Ort wie gestern?

planen

Wenn du etwas planst, denkst du, dass du das tun willst und wirst: Wir planen, morgen ins Schwimmbad zu gehen.
= vorhaben

der Platz, *die Plätze*
Wenn auf einem Stuhl keiner sitzt, ist dort der Platz frei: Ist der Platz neben dir noch frei?

prima

Man sagt „prima", wenn man sich freut: „Papa hat morgen frei." – „Prima! Dann können wir ja schwimmen gehen."
= *toll*

---

das Rad, *die Räder*

1 Räder sind rund und drehen sich: Autos haben vier Räder.
2 Wenn du mit dem Rad fährst, bist du schneller als wenn du läufst: Mama fährt gern Rad.
= *das Fahrrad*

---

das Rätsel, *die Rätsel*

Rätsel sind schwierige Fragen oder Aufgaben, auf die man eine Antwort sucht. Oft macht man das zum Spaß: Frau Müller gibt uns manchmal Rätsel zu raten. Es ist mir ein Rätsel, wo meine neue CD ist.

---

rennen

Wenn du rennst, läufst du so schnell, wie du kannst: Hexi rennt gerne. Ich bin heute den ganzen Weg zur Schule gerannt.

rollen

Wenn sich Räder und Bälle am Boden bewegen, rollen sie: Der Ball ist unter den Tisch gerollt.

---

sammeln

Wenn du Sachen sammelst, möchtest du viele von ihnen haben: Papa sammelt Briefmarken.

---

die Sammlung, *die Sammlungen*

Die Sachen, die du gesammelt hast, sind eine Sammlung: Papa, zeigst du mir deine Sammlung?

---

schaffen

Wenn etwas schwierig ist oder du wenig Zeit hast, fragst du dich, ob du es schaffst: Schaffst du die Hausaufgaben noch, bevor der Film anfängt?

---

schießen

Wenn du einen Ball mit dem Fuß bewegst, schießt du: Adrian hat den Ball ins Tor geschossen.

der Schlittschuh, *die Schlittschuhe*
  **Mit Schlittschuhen
  kann man sich
  schnell und leicht
  auf Eis bewegen:**
  Die Kuh kann nicht
  Schlittschuh laufen.

singen
  **Wenn du singst,
  machst du mit
  deiner Stimme
  Musik:** Papa singt
  immer unter der
  Dusche.

das Schwimmbad,
  die Schwimmbäder
  **Im Schwimmbad kann man
  schwimmen:** Wenn Papa nicht
  arbeitet, gehen wir oft ins
  Schwimmbad.

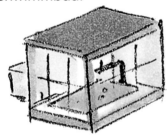

der Ski, *die Skier*
  **Skier sind lang
  und schmal. Auf
  ihnen fährt man im
  Winter durch den
  Schnee:** Ich fahre
  gern Ski.

spielen
  **1 Besonders Kinder spielen
  gern:** Wollen wir nach der Schule
  zusammen spielen?
  2 Fußball spielen ist ein Sport:
  Adrian spielt gern Fußball.
  **3 Wenn du Klavier spielst,
  machst du Musik:** Oma spielt
  Klavier.

schwimmen
  **Fische und Enten
  schwimmen im
  Wasser. Auch
  wir können das lernen:**
  Kannst du schon schwimmen?

schwitzen
  **Wenn dir sehr heiß ist, wird
  deine Haut feucht – du schwitzt:**
  Wenn Papa beim Sport geschwitzt
  hat, geht er unter die Dusche.

der Sport
  **Beim Sport bewegt man sich
  viel. Oft will man wissen, wer
  schneller, stärker oder besser
  ist:** Mein liebster Sport ist
  Schwimmen.
  **+ *Sport treiben*
  (= Sport machen)**

stark

Wenn man viel Kraft hat, ist man stark: Daniel meint, dass er stark ist.
= kräftig

tanzen

Wenn du tanzt, bewegst du dich zu Musik: Oma und Opa tanzen gern.

das Theater, *die Theater*

Im Theater werden Geschichten gespielt: Mama und Papa gehen abends manchmal ins Theater.

das Tor, *die Tore*

1 Beim Fußball gibt es Tore. Wer den Ball öfter ins Tor der anderen schießt, gewinnt das Spiel: Onkel Michael steht im Tor und Adrian schießt.

2 Wenn der Ball ins Tor fliegt, heißt das, was da geschieht, auch Tor: Adrian hat ein Tor geschossen.

treffen

1 Wenn du jemanden triffst, kommt ihr beide zur gleichen Zeit zum gleichen Ort: Aischa und ich wollen uns um drei im Schwimmbad treffen.

2 Wenn der Ball ins Tor fliegt, hast du das Tor getroffen.

verbieten

Wenn deine Eltern dir etwas verbieten, darfst du es nicht tun oder haben: Mama hat Adrian verboten, im Haus Ball zu spielen.

der Verein, *die Vereine*
**In einem Verein tun viele
Menschen etwas zusammen:**
Adrian spielt Fußball in einem
Verein.

---

verlieren
**Wenn du beim Spiel oder im
Sport verlierst, hattest du
weniger Glück oder warst
schlechter als die anderen:**
Gestern hat Adrians Verein
verloren.

---

versuchen
**Wenn du etwas versuchst,
weißt du noch nicht, ob du es
schaffst:** Adrian schießt aufs Tor
und Onkel Michael versucht, den
Ball zu fangen.
= probieren

vollständig
**Wenn eine Sammlung
vollständig ist, dann fehlt
nichts.**
= komplett

---

werfen
**Einen Ball kannst du mit
der Hand werfen.
Dann fliegt er
durch die Luft:**
Adrian hat den Ball zu Mama
geworfen. Wirf ihn mal zu mir,
Adrian!

---

zeigen
**Wenn ich etwas sehen will,
frage ich dich, ob du es mir
zeigst:** Zeigst du mir deine
Briefmarken, Papa?

---

zusammen
**Wenn ich mit Aischa zusammen
bin, sind wir beide da. Wenn wir
etwas zusammen tun, tun wir
beide es:** Aischa, Joschko und
ich wollen zusammen ins Kino
gehen.

In der Stadt

Ampel

Krankenhaus

Bus

Stand

Bank

Feuerwehr

Bank

Brücke

Bürgersteig

Ecke

Polizei

Taxi

Auto

Fluss

Lastwagen

Verkehr

die Ampel, *die Ampeln*
**Wenn die Ampel grün ist,
darf man über die Straße
gehen oder fahren. Wenn
sie rot ist, muss man warten:**
Der Bus hat an der Ampel gehalten.

das Auto, *die Autos*
**Autos haben vier Räder
und können schnell
fahren:** In der Stadt sind
die Straßen voller Autos.

die Apotheke, *die Apotheken*
**In der Apotheke bekommt man
Medizin.**

der Bäcker, *die Bäcker*
**Bei Bäckern kann
man Brot,
Brötchen und
Kuchen kaufen.**

die Arbeit, *die Arbeiten*
**Das, was jemand
arbeitet, ist seine
Arbeit:** Papa fährt
mit dem Auto zur
Arbeit.

die Bäckerei, *die Bäckereien*
**Das Geschäft eines Bäckers
heißt Bäckerei:** Ich gehe oft in
die Bäckerei, Brötchen kaufen.

arbeiten
**Die meisten Erwachsenen
arbeiten, damit sie das Geld
bekommen, das sie zum Leben
brauchen:**
Papa arbeitet in einem Büro.
Onkel Michael arbeitet als Bauer.

die Bank, *die Bänke*
**Auf einer Bank können
mehrere Leute sitzen.**

die Bank, *die Banken*
**Man kann sein Geld
zur Bank bringen
oder sich Geld von
einer Bank leihen:**
Vor dem Einkaufen
holt Mama Geld von
der Bank.

aussteigen
**Wenn du aus einem Fahrzeug
ausgestiegen bist, bist du nicht
mehr in ihm:** Wo steigen wir aus?
Der Bus wartet, bis alle
ausgestiegen sind.

der Beruf, *die Berufe*
**Der Beruf ist das, was jemand
als Arbeit macht:** Frau Müller ist
Lehrerin von Beruf.

der Brand, *die Brände*
**Ein Brand ist ein
gefährliches
Feuer, zum
Beispiel,
wenn ein
Haus brennt.**

brennen
**Wenn etwas brennt, ist da ein
Feuer:** Gestern hat es bei
Joschkos Nachbarn gebrannt.

bringen
**Wenn man Menschen oder
Sachen an einen anderen Platz
bringt, trägt oder fährt man sie:**
Der Bus hat uns zum Museum
gebracht.

die Brücke, *die Brücken*
**Auf einer Brücke
kann man über
einen Fluss gehen.**

die Buchhandlung,
die Buchhandlungen
**In Buchhandlungen kann man
Bücher kaufen:** Mama geht gern
in Buchhandlungen.

der Bürgersteig,
die Bürgersteige
**Am Rand von
manchen Straßen
sind Bürgersteige
für Fußgänger:**
Frau Müller sagt: „Bleibt auf dem
Bürgersteig."

das Büro, *die Büros*
**Ein Büro ist ein Zimmer,
in dem man am
Schreibtisch
arbeitet:** Papa arbeitet im Büro.

der Bus, *die Busse*
**Busse sind große
Fahrzeuge mit
Platz für viele
Leute:** Wir sind mit dem Bus in
die Stadt gefahren.

die Ecke, *die Ecken*
**An einer Ecke
treffen sich zwei
Straßen oder ändert
eine Straße die
Richtung:** Wir sollen an
der Ecke auf die anderen warten.

einsteigen
Wenn du in ein Fahrzeug einsteigst, bist du nicht mehr draußen: Steig schnell ein. Der Bus fährt erst los, wenn alle eingestiegen sind.

die Fabrik, *die Fabriken*
In Fabriken werden sehr viele Sachen mit Maschinen hergestellt: In dieser Fabrik werden Autos gebaut.

das Fahrzeug, *die Fahrzeuge*
Autos, Räder, Schiffe und Züge sind Fahrzeuge.

die Feuerwehr, *die Feuerwehren*
Die Feuerwehr löscht Brände und hilft bei schlimmen Unfällen.

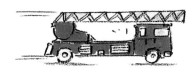

fließen
Wenn Wasser fließt, bewegt es sich: Der Fluss, der durch München fließt, heißt Isar.

der Fluss, *die Flüsse*
In Flüssen fließt viel Wasser: Der Rhein ist ein großer Fluss, auf dem Schiffe fahren können.

fremd
Wenn du in einem Ort nicht wohnst, bist du fremd dort: Ich weiß nicht, wo der Bahnhof ist, ich bin hier fremd.

der Fußgänger, *die Fußgänger*
Fußgänger sind Leute, die gehen, nicht fahren: Der Bürgersteig ist nur für Fußgänger.

das Gebäude, *die Gebäude*
Gebäude sind (große) Häuser: Das Gebäude, in dem das Museum ist, ist sehr alt.

die Gefahr, *die Gefahren*
Eine Gefahr ist, wenn etwas gefährlich ist: Es gibt viele Gefahren im Straßenverkehr.

gefährlich

Wenn etwas gefährlich ist, kann leicht ein Unfall geschehen: Seid vorsichtig, an der Kreuzung ist es gefährlich!

das Geschäft, *die Geschäfte*

In Geschäften kann man Sachen kaufen: In der Stadt gibt es viele Geschäfte.
= *der Laden*

geschehen

Wenn etwas geschieht, ist es plötzlich da oder fängt an: Schau mal, ein Krankenwagen und die Polizei. Was ist denn da geschehen?
= *passieren*

halten

Wenn ein Auto hält, fährt es für kurze Zeit nicht: An einer roten Ampel muss man halten. Der Bus hat an der letzten Haltestelle nicht gehalten.
= *stehen bleiben, anhalten*

die Haltestelle, *die Haltestellen*

Busse halten an Haltestellen. Dann kann man einsteigen oder aussteigen: An dieser Haltestelle wollen wir aussteigen.

die Information, *die Informationen*

Wenn dir jemand Informationen gibt, sagt er dir, was du wissen willst oder solltest: Wer fremd in der Stadt ist, bekommt hier Informationen.

informieren

Wenn man jemanden informiert, gibt man ihm Informationen. Wenn man sich informiert, bekommt man Informationen: Frau Müller hat sich informiert, wann das Museum geöffnet ist.

das Krankenhaus, *die Krankenhäuser*

Wenn man sehr krank oder schlimm verletzt ist, kommt man ins Krankenhaus. Dort gibt es viele Ärzte.

der Krankenwagen,
die Krankenwagen
Krankenwagen
bringen Menschen,
die sehr krank oder
schlimm verletzt sind,
ins Krankenhaus.

die Kreuzung, *die Kreuzungen*
An Kreuzungen
kommen zwei
oder mehr
Straßen
zusammen:
An der Kreuzung
ist ein Unfall geschehen.

der Lastwagen,
die Lastwagen
Ein Lastwagen ist
ein großes Fahrzeug
mit viel Platz für
viele Sachen.
= der Lkw

die Leute
Leute sind
Menschen: In der
Stadt sind viele
Leute auf der Straße.

löschen
Wenn man ein Feuer löscht,
brennt es nicht mehr.

der Markt, *die Märkte*
Wenn Markt ist,
kann man
an Ständen
Lebensmittel
und andere
Sachen kaufen.

das Motorrad, *die Motorräder*
Motorräder haben
zwei Räder und
können sehr schnell
fahren.

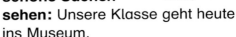

das Museum, *die Museen*
Im Museum kann
man viele alte,
interessante oder
schöne Sachen
sehen: Unsere Klasse geht heute
ins Museum.

nah
Was nah ist, ist nicht weit weg:
Wir sind gleich beim Museum, es
ist ganz nah.

die Nähe
Wenn etwas in deiner Nähe ist,
ist es nicht weit weg: Das
Museum ist in der Nähe der
Haltestelle.

der Park, *die Parks*
In Parks gibt es
Gras und Bäume,
und man kann
dort spazieren
gehen und
Spaß haben.

das Restaurant,
die Restaurants
In Restaurants geht
man zum Essen,
wenn man selbst
nicht kochen will.

der Platz, *die Plätze*
**In der Stadt gibt
es Plätze. Auf
einem Platz
stehen in der
Mitte keine
Häuser:** Auf
dem Platz vor
dem Museum ist heute Markt.

die Richtung, *die Richtungen*
**Wenn man geht oder fährt,
bewegt man sich in eine
Richtung:** In welcher Richtung ist
das Museum? Aus welcher
Richtung kommt der Wind?

der Schalter, *die Schalter*
**An einem Schalter
kann man
Informationen,
Geld oder
Fahrkarten bekommen:**
Du kannst am Schalter fragen,
wann das Museum offen ist.

die Polizei
Die Polizei schützt
uns vor Leuten, die
etwas tun, was die
Gesetze verbieten.
Sie kommt auch, wenn auf der
Straße Unfälle geschehen.

der Spielplatz,
die Spielplätze
**Auf Spielplätzen
können Kinder gut spielen.**

die Post®
Die Post® bringt uns
Briefe und Pakete:
Wenn ich den Brief
sofort zur Post®
bringe, ist er morgen bei meiner
Tante.

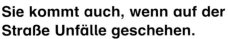

der Stand, *die Stände*
**An Ständen kann
man Sachen kaufen:**
Onkel Michael hat
einen Stand auf dem Markt, wo er
Eier, Obst und Gemüse verkauft.

stehen

Wenn du stehst, gehst oder fährst du nicht: Die Türen kann man erst öffnen, wenn der Bus steht.
+ stehen bleiben **(= nicht mehr gehen oder fahren):** Bleib doch mal stehen!

---

die Straße, *die Straßen*

In der Stadt und zwischen Orten gibt es viele Straßen. Autos können auf ihnen gut fahren: Sei vorsichtig, wenn du über die Straße gehst!

---

der Supermarkt, *die Supermärkte*

Supermärkte sind große Geschäfte. Man kauft dort besonders Lebensmittel, aber auch viele andere Sachen.

---

das Taxi, *die Taxis*

Ein Taxi bringt dich schnell zu der Adresse, zu der du willst. Sie sind aber viel teurer als Busse: Bist du schon mal mit einem Taxi gefahren?

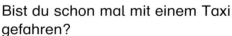

überqueren

Wenn man von einer Seite auf die andere Seite einer Straße geht, überquert man sie: Sei vorsichtig, wenn du die Straße überquerst.

---

umkehren

Wenn man umkehrt, geht oder fährt man wieder in die Richtung, aus der man gekommen ist: Ich bin noch einmal umgekehrt, weil ich mein Geld zu Hause vergessen hatte.

---

der Unfall, *die Unfälle*

Wenn ein Auto gegen ein anderes fährt oder wenn du fällst und dich verletzt, sind das Unfälle: An der Kreuzung ist ein Unfall geschehen. Hast du schon einmal einen Unfall gehabt?

---

der Verkehr

Alle Menschen und Fahrzeuge, die sich besonders auf den Straßen bewegen, sind der Verkehr: Morgens ist in der Stadt viel Verkehr.
Straßenverkehr: **Verkehr auf der Straße**

vermeiden

**Wenn man etwas vermeidet,
geschieht es nicht:** Wenn du
vorsichtig bist, kannst du Unfälle
vermeiden.

sich verspäten

**Wenn sich jemand verspätet,
kommt er später als er soll:** Wir
dürfen uns nicht verspäten, sonst
ist der Bus schon weg.

die Vorfahrt

**Wer an einer Kreuzung
zuerst fahren darf, hat
Vorfahrt.**

die Vorsicht

**„Vorsicht!" sagt man,
wenn jemand vorsichtig
sein soll:** Vorsicht, da
kommt ein Auto!

vorsichtig

**Wenn etwas gefährlich ist,
muss man vorsichtig sein:** Wir
sollen vorsichtig über die Straße
gehen.

warten

**Wenn du wartest, bis jemand
kommt oder etwas geschieht,
bleibst du so lange da oder tust
noch nichts:** Wir haben gewartet,
bis alle da waren.

der Weg, *die Wege*

**1 Auf Wegen kann
man gehen oder
fahren. Wege
sind nicht so
groß wie Straßen:** Wollen wir auf
dem Weg durch den Park gehen?
**2 Der Weg ist das, was man
gehen oder fahren muss, um an
einen Ort zu kommen:** Ist der
Weg zum Museum noch weit?
= Entfernung, Strecke

weit

**Wenn etwas weit weg ist, dauert
es lange, bis du dort bist. Ein
weiter Weg ist lang:** Wie weit ist
es noch bis zum Museum?

der Zebrastreifen,
die Zebrastreifen

**Zebrastreifen
sind für
Fußgänger,
damit sie ohne
Gefahr über die Straße gehen
können:** Autos müssen vor
Zebrastreifen halten.

Natur und Technik

Baum

Blume

Erde

Luft

Maschine

Strom

Busch

Recycling

herstellen

Abfall

Kiefer

UMWELTVERSCHMUTZUNG

Schall

Licht

Nadel

der Ast, *die Äste*
Bäume haben Äste.
An den Ästen
wachsen Blätter.

der Baum, *die Bäume*
Bäume sind groß.
Sie haben unten
einen Stamm und
oben Blätter:
Welche Bäume sieht
man bei uns im Wald?

das Blatt, *die Blätter*
Blätter sind die
vielen grünen Teile
an Pflanzen: Im Herbst
verlieren die Bäume ihre
Blätter.

blühen
Wenn Pflanzen
blühen, haben
sie gerade offene
Blüten: Schau mal, was da auf
dem Rasen blüht.

die Blume, *die Blumen*
Blumen sind kleine
Pflanzen mit bunten
Blüten: Mama hat im
Garten viele Blumen
gepflanzt.

die Blüte, *die Blüten*
Blüten sind bunt.
Wenn Pflanzen
Blüten haben,
kommen Bienen
und Schmetterlinge:
Die Blume hat eine gelbe Blüte.

der Druck
Der Druck ist die Kraft, mit der
zum Beispiel die Luft auf etwas
drückt: In tiefem Wasser ist der
Druck sehr hoch.

drücken
Wenn du auf etwas drückst,
schiebst du es von dir weg: Auf
den Türen im Museum steht, ob
man drücken oder ziehen muss,
um sie zu öffnen.

sich entwickeln
Wenn sich etwas
entwickelt, ändert es
sich mit der Zeit:
Frau Müller zeigt uns,
wie sich die Pflanze
aus dem Samen
entwickelt hat.

die Entwicklung,
die Entwicklungen
**Wenn sich etwas entwickelt, ist
das eine Entwicklung:** Wir sehen
im Museum einen Film, der die
Entwicklung der Technik zeigt.

die Erde
**1 Alle Tiere und Menschen
leben auf der Erde:** Die Erde
dreht sich um die Sonne.
**2 Erde ist braun.
Die Wurzeln der
Pflanzen sind in
der Erde:** Mama
hat gestern Erde für ihre Blumen
gekauft.

feucht
**Wenn etwas feucht ist, ist
Flüssigkeit da:** Wenn aus einem
Samen eine Pflanze wachsen soll,
muss die Erde feucht bleiben.

die Feuchtigkeit
**Feuchtigkeit ist, wenn Wasser
oder Ähnliches da ist:** Manche
Pflanzen brauchen mehr
Feuchtigkeit als andere.

die Fichte, *die Fichten*
**Fichten sind Bäume
mit kurzen, runden
Nadeln:** In Deutschland
gibt es im Wald sehr
viele Fichten.

flüssig
Flüssigkeiten sind flüssig:
Wasser ist flüssig, nur wenn es
sehr kalt wird, wird es zu Eis.

die Flüssigkeit, *die Flüssigkeiten*
**Wasser ist eine Flüssigkeit.
Manche Flüssigkeiten kann
man trinken:** Wenn es heiß ist,
braucht unser Körper mehr
Flüssigkeit.

die Frucht, *die Früchte*
**In der Frucht einer
Pflanze sind
die Samen:**
Süße Früchte,
die wir essen
können, heißen
Obst.

führen
**Wenn man jemanden führt,
geht man mit ihm, um ihm
etwas zu zeigen:** Frau Müller
führt uns durch das Museum.

die Führung, *die Führungen*
Bei einer Führung zeigt und erklärt jemand anderen Menschen, was es zu sehen gibt: Wir machen mit Frau Müller eine Führung durch das Museum.

herstellen
Wenn man etwas herstellt, macht man oft sehr viele neue Sachen zur gleichen Zeit: Diese Fabrik stellt Autos her.
= produzieren

die Herstellung
Wenn etwas hergestellt wird, ist das eine Herstellung: Zur Herstellung von Autos braucht man Maschinen.
= die Produktion

die Kiefer, *die Kiefern*
Kiefern sind Bäume mit sehr langen Nadeln.

der Lärm
Lärm ist, wenn etwas so laut ist, dass man es nicht mag: Flugzeuge machen viel Lärm.

das Laub
Die Blätter von Bäumen heißen Laub: Im Herbst verlieren die Bäume ihr Laub.
Laubbaum: **ein Baum, der Blätter hat**

das Licht, *die Lichter*
Licht ist das, was von der Sonne oder einer Lampe kommt. Ohne Licht kann man nichts sehen: Die kleinen Lichter, die man nachts am Himmel sieht, sind Sterne.

die Luft
Rund um die Erde ist Luft. Ohne Luft könnten wir nicht leben: Im Winter ist die Luft kalt, im Sommer warm.
+ *in die Luft* **(= vom Boden weg nach oben):** einen Ball in die Luft werfen

die Maschine, *die Maschinen*
  Menschen bauen
  Maschinen, die
  für sie arbeiten
  sollen: In der
  Fabrik gibt es
  viele große Maschinen.

der Müll
  Müll sind Sachen, die
  kaputt oder schlecht
  sind und die wir nicht
  mehr brauchen: Leere
  Flaschen müssen nicht zum Müll,
  sie können recycelt werden.
  = *der Abfall*

die Nadel, *die Nadeln*
  Manche Bäume haben
  keine Blätter, sondern
  dünne Nadeln:
  Fichten, Kiefern und
  Tannen verlieren
  ihre Nadeln im Winter nicht.
  Nadelbaum: **ein Baum, der**
  Nadeln hat

nass
  Flüssigkeiten sind nass: Wenn
  es regnet, wird alles nass.

die Nässe
  Wenn etwas nass ist, ist das
  Nässe: Manche Pflanzen muss
  man vor zu viel Nässe schützen.

die Natur
  Alles, was nicht von Menschen
  gemacht wurde, ist Natur, zum
  Beispiel die Erde, Pflanzen,
  Tiere und das Wetter: Wie
  können wir die Natur schützen?

die Pflanze, *die Pflanzen*
  Pflanzen leben und wachsen.
  Bäume, Blumen und Gras sind
  Pflanzen.
  = *das Gewächs*

recyceln
  Wenn Sachen, die nicht mehr
  gebraucht werden, recycelt
  werden, wird aus ihnen etwas
  Neues gemacht: Zeitungen,
  Dosen und Flaschen können
  recycelt werden.
  = *wiederverwerten*

das Recycling
  Wenn man etwas
  recycelt, heißt
  das Recycling:
  Durch Recycling
  wird Müll vermieden.
  = *die Wiederverwertung*

der Samen, *die Samen*
**Wenn man Samen in
die Erde tut, können
aus ihnen neue
Pflanzen wachsen:**
Nüsse sind Samen, die wir essen
können.

der Schall
**Alles, was man
hören kann, ist
Schall:** Den
Schall des Donners
kann man sehr weit hören.

schützen
**Man schützt etwas, damit
nichts Schlimmes mit ihm
geschieht:** Wie kann man sich
vor Blitzen schützen?

der Stamm, *die Stämme*
**Der Stamm ist der
dicke, harte Teil vom
Baum, aus dem die
Äste wachsen:** Junge
Bäume haben dünne
Stämme, alte haben dicke.

der Stängel, *die Stängel*
**Blumen haben dünne,
oft lange Stängel.
Die Blüten wachsen
an den Stängeln.**
= der Stiel

der Stiel, *die Stiele*
**Blätter und Blüten
wachsen an dünnen
Stielen.**

der Strauch, *die Sträucher*
**Sträucher sind nicht
so groß wie Bäume.
Sie haben keinen
dicken Stamm,
sondern mehrere
dünne:** Tante Elisabeth
hat im Garten eine Hecke aus
Sträuchern.
= der Busch

der Strom
**Strom brauchen
wir, damit wir
Lampen, Fernseher und
Maschinen benutzen können:**
Wir lernen im Museum, wie Strom
hergestellt wird.

die Tanne, *die Tannen*
**Tannen sind Bäume mit
kurzen, dünnen Nadeln:**
Als Weihnachtsbaum
nehmen wir oft eine
Tanne.

die Technik
Maschinen und ähnliche
Sachen, die Menschen
herstellen, sind Technik: Die
Technik macht es möglich, dass
viele Arbeiten von Maschinen
gemacht werden.

trocken
Ohne Flüssigkeit ist etwas
trocken: Wenn es lange nicht
regnet, ist die Erde sehr trocken.

die Umwelt
Unsere Umwelt ist die Natur, in
der wir leben: Frau Müller erklärt
uns, was wir tun können, um die
Umwelt zu schützen.

verschmutzen
Wenn man etwas
verschmutzt, ist
es nicht mehr
sauber: Autos
und Fabriken
verschmutzen die Luft.

die Verschmutzung
Wenn etwas schmutzig wird, ist
das eine Verschmutzung: Die
Verschmutzung der Meere wird
immer schlimmer.

wachsen
Wenn etwas wächst,
entwickelt es sich und
wird größer. Auch du
wächst noch: Aus dem
Samen ist eine kleine
Pflanze gewachsen.

die Wurzel, *die Wurzeln*
Die Wurzeln sind der
Teil von Pflanzen,
der in der Erde ist:
Durch die Wurzeln
bekommen die Pflanzen
Wasser und Nahrung.

ziehen
Wenn du an etwas ziehst,
nimmst du es in die Hand und
bewegst es auf dich zu: Aischa
hat mich am Arm gezogen, sie will
mir etwas zeigen.

die Zukunft
Die Zukunft ist die Zeit, die
noch nicht ist, sondern kommt:
In Zukunft müssen wir die Natur
besser schützen.

zukünftig
Was in der Zukunft sein wird,
ist zukünftig: Wie können wir
zukünftige Fehler vermeiden?

Auf dem Bauernhof

Fuchs

Huhn

Schwein

Zaun

Schaf

Schmetterling

Igel

Kuh

Pferd

Maus

Eule

Ente

Getreide

Hase

Auf dem Bauernhof

der Bauer, *die Bauern*
Bauern **haben viele**
Tiere und arbeiten auf
ihren Feldern:
Onkel Michael ist Bauer.

die Bäuerin, *die Bäuerinnen*
Eine Frau, die Bauer ist, heißt
Bäuerin: Tante Elisabeth ist eine
Bäuerin.

der Bauernhof, *die Bauernhöfe*
Das Haus und das
Stück Land, wo
ein Bauer lebt
und arbeitet, heißt
Bauernhof: Onkel
Michael und Tante
Elisabeth haben einen Bauernhof.

bellen
Wenn Hunde laut
sind, bellen sie:
Hexi bellt immer, wenn
es bei uns klingelt.

beobachten
Wenn du jemanden
beobachtest,
schaust du ganz
genau, was er macht: Der Fuchs
sitzt hinter den Sträuchern und
beobachtet die Hühner.

biegen
Wenn man etwas
biegt, ist es nicht
mehr gerade: Adrian
hat ein Stück Draht
zu einem U gebogen.

die Biene, *die Bienen*
Bienen haben einen
Stachel und machen
Honig: Die Biene fliegt von
Blüte zu Blüte.

der Draht, *die Drähte*
Draht ist sehr dünn
und hart. Man kann
ihn aber leicht
biegen: Der Zaun ist aus Draht.

die Ente, *die Enten*
Enten sind Vögel, die
sehr gut schwimmen
können.

ernten
Wenn Getreide,
Gemüse oder Obst
reif ist, wird es
geerntet:
Onkel Michael hat Äpfel geerntet.

die Eule, *die Eulen*
Eulen haben große
Augen. Sie fliegen
nachts und schlafen
am Tag: Eulen fressen
gerne Mäuse.

fallen
Wenn du fällst,
bewegst du dich
plötzlich nach
unten: Adrian ist
in den Dreck
gefallen.

das Feld, *die Felder*
Kartoffeln und
Getreide wachsen
auf Feldern:
Tante Elisabeth
fährt mit dem Traktor aufs Feld.

der Flügel, *die Flügel*
Vögel haben Flügel.
Sie brauchen sie
zum Fliegen.

frei
Wenn ein Tier frei ist, kann es
laufen oder fliegen, wohin es
will: Die Hühner sind bei Onkel
Michael nicht im Käfig, sondern
laufen draußen frei herum.

die Freiheit
In Freiheit ist ein Tier, wenn es
frei ist: Vögeln geht es in Freiheit
besser als im Käfig.

frisch
Essen ist frisch,
wenn es vor kurzer
Zeit geerntet oder
gemacht wurde:
Auf dem Bauernhof gibt es viel
frisches Obst und Gemüse.

der Fuchs, *die Füchse*
Füchse leben im
Wald. Sie fressen gern
Mäuse und manchmal
auch Hühner.

genau
Wenn eine Zahl genau ist, ist es
nicht mehr und auch nicht
weniger: Onkel Michael hat
genau 48 Tiere.

das Getreide
Aus Getreide macht
man Mehl und aus
dem Mehl dann
Brot, Nudeln oder
Kuchen.

gießen
Wenn man Pflanzen
Wasser gibt, **gießt man**
sie: Tante Elisabeth
gießt das Gemüse.

---

das Gras, *die Gräser*
Gras ist grün und
wächst am Boden:
Kühe und Schafe
fressen Gras.

---

der Hase, *die Hasen*
Hasen sind Tiere mit
sehr langen Ohren.
Sie können schnell
laufen.

---

die Hecke, *die Hecken*
In einer Hecke stehen viele
Sträucher in
einer Reihe: In
Tante Elisabeths
Garten gibt es eine Hecke.

---

das Huhn, *die Hühner*
Menschen essen gerne
die Eier von Hühnern:
Ich darf manchmal den
Hühnern ihr Futter geben.

der Igel, *die Igel*
Igel haben spitze
Stacheln.

---

der Käfer, *die Käfer*
Käfer sind klein. Sie
haben sechs Beine
und vier Flügel.

---

kriechen
Manche Tiere haben
keine oder so kurze
Beine, dass sie nicht
schnell laufen können,
sondern langsam kriechen:
Die Raupe ist am Ast nach oben
gekrochen.

---

die Kuh, *die Kühe*
Kühe geben Milch:
Onkel Michael hat
viele Kühe.

---

das Land
Bauernhöfe sind auf
dem Land, nicht in der Stadt:
Ich würde auch
gern auf
dem Land
wohnen.

die Maus, *die Mäuse*
Katzen und Füchse
fressen gern Mäuse:
Auf dem Bauernhof
gibt es viele Mäuse.

---

das Mehl
Aus Mehl kann man
Brot, Kuchen und
Plätzchen machen:
Oma braucht Mehl zum Backen.

---

das Pferd, *die Pferde*
Auf Pferden kann
man reiten: Ich hätte
auch gern ein Pferd.

---

pflanzen
Wenn man junge
Pflanzen in die Erde
tut, pflanzt man sie:
Tante Elisabeth pflanzt Salat.

---

quaken
Wenn Enten laut sind, quaken
sie: Hörst du die Enten quaken?

---

die Quelle, *die Quellen*
Aus Quellen kommt
frisches Wasser aus
dem Boden: Weißt
du, wie lang der
Rhein von der
Quelle bis zum Meer ist?

die Raupe, *die Raupen*
Aus einer Raupe wird
einmal ein Schmetterling.

das Reh, *die Rehe*
Rehe leben im Wald.
Sie fressen Gras und
Blätter.

---

reif
Etwas ist reif, wenn es so lange
gewachsen ist, dass
man es essen kann:
Tomaten sind reif, wenn
sie rot sind.

---

reiten
Wenn man sich auf ein Tier
setzt und sich von ihm tragen
lässt, reitet man: Ich bin schon
oft auf Onkel Michaels Pferd
geritten.

---

sauber
Wenn du etwas wäschst, wird
es sauber: Adrian ist ganz
schmutzig. Er muss saubere
Sachen anziehen.

das Schaf, *die Schafe*
Schafe haben
weiche, lange Haare.
Aus den Haaren
macht man Stoffe
und Kleider:
Schafe fressen Gras.

der Schmetterling,
die Schmetterlinge
Schmetterlinge sind
bunt und fliegen
von Blüte zu Blüte.

der Schmutz
Schmutz ist das, was
etwas schmutzig
macht: Adrian ist
in den Schmutz
gefallen.
= Dreck

schmutzig
Was schmutzig ist, ist nicht
sauber: Adrian ist so schmutzig
wie das Schwein.
= dreckig

die Schnecke, *die Schnecken*
Wir mögen keine
Schnecken im
Garten, weil sie
Blumen und Gemüse fressen.

das Schwein, *die Schweine*
Schweine haben
nur wenig Haare
und sind oft
schmutzig.

der See, *die Seen*
In einem See ist
viel Wasser:
Wenn ich bei
Onkel Michael bin, gehe ich gern
im See schwimmen.

sich spiegeln
Wenn sich etwas im
Wasser spiegelt,
sieht man auf dem
Wasser ein Bild wie
in einem Spiegel:
Die Blume spiegelt sich im Wasser.

der Stachel, *die Stacheln*
Bienen, Igel und manche
Pflanzen haben spitze Stacheln.
An den Stacheln kann man sich
verletzen.

der Stall, *die Ställe*
Ställe sind Räume oder Häuser
für Tiere: Ich helfe gern im Stall.

das Tier, *die Tiere*
Tiere leben. Auf dem Bauernhof gibt es viele Tiere: Meine liebsten Tiere sind Hunde und Pferde.

der Traktor, *die Traktoren*
Traktoren sind große Fahrzeuge. Bauern arbeiten mit ihnen auf den Feldern: Tante Elisabeth und Jan sitzen auf dem Traktor.

ungefähr
Wenn eine Zahl ungefähr ist, kann es auch ein bisschen mehr oder weniger sein: Onkel Michael hat ungefähr 50 Tiere.
= *etwa*

verbrauchen
Wenn man etwas verbraucht, benutzt man es, bis nichts mehr da ist: Weil Tante Elisabeth ein Baby hat, verbraucht ihre Familie viel Milch.

der Vogel, *die Vögel*
Enten und Hühner sind Vögel. Die meisten Vögel können fliegen.

der Wald, *die Wälder*
Wenn an einem Ort sehr viele Bäume wachsen, ist das ein Wald: Ich gehe gern in den Wald, Pilze suchen.

die Wiese, *die Wiesen*
Auf einer Wiese wächst Gras. Es gibt dort auch Kräuter und Blumen: Auf der Wiese wachsen viele Blumen.

der Zaun, *die Zäune*
Wenn Kühe oder Pferde auf einer Wiese sind, hat die Wiese einen Zaun. Auch die meisten Gärten haben Zäune: Wir dürfen nicht über den Zaun zu den Kühen klettern.

Im Supermarkt

Dose

Flasche

Wagen

Kasse

Zeitung

Geld

Liter

Eingang

Lebensmittel

Supermarkt

Tüte

Preis

133

der Ausgang, *die Ausgänge*
Durch den Ausgang geht man nach draußen: Die Kassen im Supermarkt sind am Ausgang.

der Euro, *zwei, drei, … Euro*
Euro heißt das Geld, mit dem wir in Deutschland und vielen Ländern in Europa zahlen: Die Pizza kostet weniger als 2 Euro.

bezahlen
Wenn du jemandem Geld für etwas gibst, bezahlst du: Für das Obst haben wir fünf Euro bezahlt.
= zahlen

die Flasche, *die Flaschen*
Besonders Sachen zum Trinken kauft man in Flaschen: Ich soll noch ein paar Flaschen Saft holen.

der Cent, *zwei, drei, … Cent*
Ein Euro hat hundert Cent: Wie viel Cent kostet das Futter?

das Geld
Mit Geld bezahlt man für Sachen, die man haben will: Haben wir auch genug Geld zum Einkaufen?

die Dose, *die Dosen*
Sachen in Dosen sind auch nach sehr langer Zeit noch gut: In der Dose ist Futter für Felix.

das Gewicht
Das Gewicht sagt dir, wie schwer etwas ist. Man misst es in Gramm, Pfund und Kilo: Welches Gewicht haben die Äpfel?

der Eingang, *die Eingänge*
Durch den Eingang kommt man in ein Gebäude: Brot gibt es gleich am Eingang.

das Gramm,
zwei, drei, ... Gramm
**Gewicht misst man
in Gramm:** In der Tüte
sind 500 Gramm Mehl.

---

die Kasse, *die Kassen*
**An der Kasse zahlt man,
was man kauft:**
Ich darf den Wagen
zur Kasse schieben.

---

kaufen
**Wenn du etwas von jemandem
kaufst, gibt er es dir und du
gibst ihm Geld:** Wir müssen noch
Futter für Felix kaufen.
= einkaufen

---

das Kilo, *zwei, drei, ... Kilo*
**Gewicht misst man
in Kilo. Ein Kilo hat
1000 Gramm:**
In der Tüte ist ein Kilo
Zucker.

---

kosten
**Wenn ich frage, was etwas
kostet, will ich wissen, wie viel
Geld ich zahlen muss:** Das
Katzenfutter kostet heute nur 35
Cent.

legen
**Was du kaufen willst, legst du
in den Wagen:** Ich habe Mehl
aus dem Regal genommen und in
den Wagen gelegt.

---

der Liter, *die Liter*
**Flüssigkeiten misst
man in Litern:** In der
Tüte ist ein Liter Milch.

---

die Münze, *die Münzen*
**Münzen sind kleines Geld.
Sie sind hart und rund:**
Ich habe nur noch ein
paar Münzen.
= das Geldstück

---

offen
**Wenn ein Geschäft offen ist,
kann man hineingehen und
etwas kaufen. Wenn eine
Packung offen ist, kannst du
das, was in ihr ist,
herausnehmen:** Bis wann ist der
Supermarkt abends offen?
= auf

öffnen
**Wenn ein Geschäft öffnet oder
du etwas öffnest, ist es offen:**
Um wie viel Uhr öffnet der
Supermarkt morgens?
= aufmachen

die Packung, *die Packungen*
Eine Packung ist etwas, das man fertig verpackt kaufen kann: Wir haben zwei Packungen Kekse gekauft.

_____

das Pfund, *zwei, drei, ... Pfund*
500 Gramm sind ein Pfund. Zwei Pfund sind ein Kilo.: In der Tüte ist ein Pfund Mehl.

_____

die Plastiktüte, *die Plastiktüten*
Plastiktüten sind dünne Taschen. Man bekommt sie im Geschäft für die Sachen, die man gerade gekauft hat.

_____

der Preis, *die Preise*
Wie viel Geld du bezahlen musst, sagt dir der Preis: Welchen Preis haben die Äpfel?

_____

preiswert
Wenn etwas preiswert ist, kostet es nur wenig Geld: Das Katzenfutter ist heute sehr preiswert.
= billig

die Schachtel, *die Schachteln*
Eine Schachtel ist eine Packung aus sehr dickem Papier: Was ist in der Schachtel?
= der Karton

_____

der Schein, *die Scheine*
Scheine sind großes Geld aus Papier.
= der Geldschein

_____

schieben
Wenn man einen Wagen schiebt, geht man hinter ihm und drückt mit den Händen, damit er sich bewegt: Die Frau schiebt den Wagen zur Kasse.
***wegschieben*: so dass es nicht mehr dort ist, wo es vorher war:** Schieb bitte mal den Wagen weg, damit ich an das Regal kann.

_____

schließen
Wenn ein Geschäft schließt oder du etwas schließt, ist es zu: Der Supermarkt schließt abends um acht Uhr.
= zumachen

sparen

    Wenn man weniger Geld zahlen muss, als man dachte, hat man etwas gespart: Wenn wir nicht zwei kleine, sondern eine große Packung nehmen, sparen wir 50 Cent.

teuer

    Wenn etwas teuer ist, kostet es viel Geld: Die Pizza ist nicht teuer.

die Tüte, *die Tüten*

    Mehl, Zucker und viele andere Sachen werden in Tüten verpackt: Wir haben zwei Tüten Mehl gekauft.

verpacken

    Sachen, die man kauft, sind oft verpackt. So bleiben sie sauber oder länger frisch: Das Brot im Supermarkt ist schon in Tüten verpackt.

die Verpackung,
die Verpackungen

    Die Sachen im Geschäft sind meistens in Verpackungen verpackt: Bevor man die Pizza backen kann, muss man die Verpackung entfernen.

der Wagen, *die Wagen*

    Im Supermarkt legt man alles, was man kaufen will, in einen Wagen: Jan sitzt im Wagen.
    = der Einkaufswagen

wiegen

    1 Wie viel etwas wiegt, ist, wie schwer oder leicht es ist: Der Zucker wiegt ein Kilo.
    2 Wenn du wissen willst, wie schwer etwas ist, kannst du es wiegen: Das Obst wird an der Kasse gewogen.

die Zeitung, *die Zeitungen*

    In der Zeitung steht jeden Tag (außer Sonntag), was gestern geschehen ist: Wir sollen für Onkel Michael eine Zeitung kaufen.

der Zettel, *die Zettel*

    Ein Zettel ist ein kleines Stück Papier, auf das du etwas schreibst: Auf dem Zettel steht, was wir alles einkaufen müssen.

Geburtstag

Glas

Kuchen

Geschenke

Kerze

Würstchen

Löffel

Teller

Limo

schenken

backen

feiern

Tasse

Messer

Gabel

backen

Mit Mehl, Eiern, Wasser oder Milch und anderen Sachen bäckt man Brot, Kuchen und Plätzchen: Oma hat mir zum Geburtstag einen Kuchen gebacken.

bekommen

Wenn dir jemand etwas gibt, bekommst du es von ihm: Ich habe heute viele Geschenke bekommen.

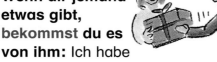

der Brief, *die Briefe*

Briefe schreibt man an Leute, die man nicht treffen kann, um mit ihnen zu sprechen: Tante Barbara hat mir einen Brief geschrieben.

die *oder* das Cola

Cola ist braun und sehr süß: Weil heute mein Geburtstag ist, dürfen wir Cola trinken.

einladen

Wenn du jemanden einlädst, sagst du ihm, dass du dich freust, wenn er kommt: Ich habe meine Freunde zu einem Fest eingeladen.

feiern

Wenn man feiert, hat man viel Spaß und isst und trinkt gute Sachen: Meine Freunde kommen heute, um mit mir meinen Geburtstag zu feiern.

das Fest, *die Feste*

Wenn man sich über etwas sehr freut, feiert man zusammen mit anderen manchmal ein Fest: Ich darf mit meinen Freunden an meinem Geburtstag ein Fest feiern. = *die Party*

die Gabel, *die Gabeln*

Gabeln haben mehrere Spitzen. Man isst mit ihnen Fleisch, Gemüse und andere Sachen: Jan kann noch nicht mit Messer und Gabel essen.

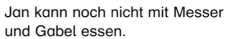

geben

1 Wenn du jemandem etwas gibst, dann hat er es: Aischa hat mir mein Geschenk schon in der Schule gegeben.
2 Wenn es etwas gibt, dann ist es da oder es geschieht: Es hat den ganzen Nachmittag keinen Streit gegeben.

geboren
> **Der erste Tag in deinem Leben war der Tag, an dem du geboren bist:** Ich wurde heute vor zehn Jahren geboren.

die Geburt, *die Geburten*
> **Wenn ein Baby geboren wird, ist das seine Geburt:** An deinem Geburtstag feierst du deine Geburt.

der Geburtstag, *die Geburtstage*
> **Du hast jedes Jahr an dem Tag Geburtstag, an dem du geboren wurdest:** Heute ist mein zehnter Geburtstag.

das Geschenk,
> *die Geschenke*
> **Ein Geschenk ist etwas, das dir jemand gibt, damit du dich freust:** Ich habe heute viele Geschenke bekommen.

das Glas, *die Gläser*
> **Aus Gläsern trinkt man kalte Sachen. Gläser sind wie Fenster aus Glas gemacht.**

der Glückwunsch,
> *die Glückwünsche*
> **Man sagt „Herzlichen Glückwunsch!", wenn jemand zum Beispiel Geburtstag hat, heiratet oder etwas Schwieriges geschafft hat:** Herzlichen Glückwunsch zum Geburtstag!

herzlich
> **Mit „herzlich" sagst du, dass du etwas wirklich fühlst und meinst:** Herzlichen Glückwunsch zum Geburtstag! Mein Bruder lässt dich herzlich grüßen.

die Karte, *die Karten*
> **Karten sind aus dickem Papier. Karten, die man an jemanden schreibt oder jemandem schenkt, haben meistens vorne ein Bild:** Zum Geburtstag habe ich viele Karten bekommen.
> *Geburtstagskarte:* **eine Karte mit Glückwünschen zum Geburtstag:** Bei Aischas Geschenk war eine schöne Geburtstagskarte.
> *Einladungskarte:* **eine Karte, mit der man jemanden zu einem Fest einlädt:** Ich habe meinen Freunden Einladungskarten gegeben.

die Kerze, *die Kerzen*
  Wenn Kerzen brennen,
  geben sie warmes Licht:
  Auf meinem Kuchen sind
  zehn Kerzen.

der Kuchen, *die Kuchen*
  Kuchen sind süß.
  Sie werden aus Mehl
  gemacht: Oma hat
  mir einen tollen
  Kuchen gebacken.

das Leben, *die Leben*
  Dein Leben ist die Zeit, die du
  lebst: An deinem Geburtstag
  wünschen dir alle ein langes
  Leben.

die *oder* **das Limo**
  Limo ist gelb, orange
  oder sieht aus wie
  Wasser. Sie ist sehr süß:
  Trinkst du gerne Limo
  oder lieber Saft?

der Löffel, *die Löffel*
  Suppen isst man mit
  Löffeln. Man kann
  mit einem Löffel auch Zucker in
  den Kaffee tun: Jan kann schon
  selbst mit dem Löffel essen.

das Messer, *die Messer*
  Mit Messern kann man
  etwas schneiden oder Butter
  und Marmelade aufs Brot tun.

nehmen
  1 Wenn du die Finger um etwas
  legst, nimmst du es in die
  Hand: Das Würstchen musst du
  nicht mit der Gabel essen, das
  kannst du in die Hand nehmen.
  2 Wenn du dir etwas nimmst,
  hast du es: Nimm dir doch etwas
  zu trinken. Hexi hat sich
  ein Würstchen vom
  Tisch genommen.
  herausnehmen: **aus etwas**
  nehmen: Oma öffnete ihre Tasche
  und nahm einen Brief heraus.
  mitnehmen: **mit dir nehmen:**
  Wenn du nach Hause gehst,
  nimm bitte die CD mit.

das Päckchen, *die Päckchen*
  Geschenke verpackt
  man in Päckchen
  und Pakete.
  Päckchen
  sind klein.

das Paket, *die Pakete*
  Geschenke verpackt man in
  Päckchen und Pakete. Pakete
  sind groß.

raten
> Wenn du eine
> Antwort nicht weißt,
> kannst du raten.
> Vielleicht rätst du
> richtig: Joschko sagt: „Rate mal,
> wer ich bin."

scharf
> Wenn Messer und Scheren
> scharf sind, schneiden sie gut:
> Vorsicht, das Messer ist scharf!

schenken
> Wenn dich jemand
> gern hat, dann
> schenkt er dir
> manchmal etwas,
> damit du dich
> freust: Meine
> Eltern haben mir
> zum Geburtstag
> ein Rad geschenkt.

sich setzen
> Du kannst dich zum Beispiel
> auf einen Stuhl setzen. Zum
> Essen setzen wir uns an den
> Tisch: Aischa, setzt du dich
> neben mich?

sitzen
> Wenn du sitzt, ist
> dein Po auf einem
> Stuhl oder dem
> Boden: Hexi sitzt
> unter dem Tisch.

das Stück, *die Stücke*
> Viele Sachen kann
> man in Stücke
> schneiden: Jeder
> bekommt ein Stück Kuchen.

die Tasse, *die Tassen*
> Aus Tassen trinkt man heiße
> Sachen wie Kaffee
> und Tee: Oma,
> möchtest du noch
> eine Tasse Tee?

der Teller, *die Teller*
> Auf deinen Teller
> tust du das, was
> du essen willst.

der Tisch, *die Tische*
> Auf einen Tisch kann man
> Sachen legen und stellen: Das
> Essen steht schon auf dem Tisch.

die Wahl
> Wenn es mehrere Möglichkeiten gibt, hast du die Wahl, was du tun oder haben möchtest: Was möchtest du trinken: Limo oder Cola? Du hast die Wahl.

wünschen
> Wenn du dir etwas wünschst, möchtest du es sehr gerne haben oder tun: Ich habe mir von meinen Eltern ein Rad gewünscht.

der Wunsch, *die Wünsche*
> Wenn du dir etwas wünschst, ist das dein Wunsch: Ein neues Rad war mein größter Wunsch.

das Würstchen, *die Würstchen*
> Würstchen sind lang und dünn. Sie werden aus Fleisch gemacht und warm gegessen: Hexi liebt Würstchen.

Schwierige Zeitwörter

dürfen
> Mama, darf ich in den Garten? Gestern durfte ich ins Kino. Adrian und Daniel haben nicht gedurft.
>
> Aischa darf heute Nachmittag zu mir kommen. Wir dürfen erst spielen, wenn die Hausaufgaben fertig sind. Hast du gestern fernsehen dürfen?

können
> Das ist zu schwierig, ich kann das nicht! Joschko konnte noch kein Deutsch, als er aus Bosnien kam. Aischa hat die Aufgaben alle gekonnt.
>
> Joschko, kann ich mal das Buch haben? Jan kann noch nicht lesen. Mama, können wir morgen ins Schwimmbad gehen? Gestern habe ich nicht mit Aischa spielen können.

lassen

Jan, **lass** das, das tut Felix weh! Adrian **ließ** die Tür offen, als er ging. Mama hat mich gestern nicht zu Aischa **gelassen**.

Lässt du mich mal mit deinem Rad **fahren**, Aischa? **Lass** die Sachen auf dem Tisch **liegen**, ich räume sie später auf. Frau Müller hat uns viele Aufgaben **rechnen lassen**.

mögen

Möchtest du ein Eis? Hexi **mochte** heute nicht in den Garten. Daniel hätte sich die Zähne putzen sollen, aber er hat nicht **gemocht**.

Ich **möchte** am liebsten noch einen Film **sehen**. Hexi hat mit mir **spielen mögen**, aber ich hatte keine Lust.

müssen

Muss ich wirklich schon ins Bett? Gestern **musste** Papa nicht zur Arbeit. Aischa hat um sechs Uhr nach Hause **gemusst**.

Ich bin krank und **muss** oft **niesen**. Gestern habe ich mein Zimmer **aufräumen müssen**.

sollen

Was **soll** das, bist du verrückt? Aischa **sollte** um sechs Uhr nach Hause. Jan hat schon vor Stunden ins Bett **gesollt**.

Ich **soll** mehr **üben**. Wir haben zwei Aufgaben **rechnen sollen**.

wollen

Willst du ein Stück Kuchen? Jan **wollte** noch nicht ins Bett. Mama hat noch in den Supermarkt **gewollt**, aber er war schon zu.

Mama, wir **wollen fernsehen**, dürfen wir? Ich habe ein Eis **essen wollen**, aber ich hatte mein Geld zu Hause vergessen.

Ferien

Boot

Flugzeug

Zug

Sandburg

Hotel

Koffer

Wohnwagen

Möwe

Strand

Badehose

Sand

baden

Qualle

Bikini

Schiff   **Muschel**   **Bahnhof**

der Badeanzug,
die Badeanzüge
**Mädchen und Frauen
tragen zum Baden
Bikinis oder
Badeanzüge:** Sandra
hat einen Badeanzug an.

die Bahn
**Wenn du mit der Bahn fährst,
fährst du mit einem
Zug:** Tante Barbara
ist mit der Bahn zu
uns gekommen.

die Badehose,
die Badehosen
**Jungen und Männer
tragen zum Baden
Badehosen.**

der Bahnhof, *die Bahnhöfe*
**Am Bahnhof kann
man in einen
Zug einsteigen:**
Wir müssen
Tante Barbara
um drei Uhr zum
Bahnhof bringen.

baden
**Man badet im Wasser.
Wenn du baden gehst,
willst du
schwimmen
und im und
am Wasser
spielen und
Spaß haben:**
Wenn wir am Meer Urlaub
machen, gehen wir jeden Tag
baden. Ich bade gern im Meer.

bauen
**Wenn du etwas baust,
machst du aus
kleinen Sachen etwas
Größeres und Neues:**
Ich habe mit meiner
Freundin eine
Sandburg gebaut.

der Bikini, *die Bikinis*
**Mädchen und Frauen
tragen zum Baden
Badeanzüge oder
Bikinis:** Ich trage am
liebsten Bikinis.

das Badetuch,
die Badetücher
**Badetücher sind
sehr große
Handtücher:**
Mama sitzt auf
einem Badetuch.

das Boot, *die Boote*
**Boote sind klein und
fahren über das Wasser:**
Die Leute im Boot haben
einen großen Fisch im
Wasser entdeckt.

das Eis
**Eis ist sehr kalt und
süß. Es kann sehr
verschieden
schmecken –
nach
Schokolade, nach Erdbeeren,
nach Nüssen, nach Bananen,
…:** Im Urlaub darf ich mir jeden
Tag ein Eis kaufen.

entdecken
**Wenn du etwas entdeckst,
siehst du plötzlich, dass es da
ist:** Hexi hat im Wasser eine
Qualle entdeckt.

erleben
**Wenn du hörst und siehst, wie
etwas geschieht, erlebst du es:**
Nach den Ferien werde ich Aischa
erzählen, was ich im Urlaub alles
erlebt habe.

das Erlebnis, *die Erlebnisse*
**Was du erlebst, sind deine
Erlebnisse:** Soll ich dir ein lustiges
Erlebnis aus dem Urlaub erzählen?

die Ferien
**Wenn du eine oder mehrere
Wochen lang keine Schule hast,
sind das Ferien:** Meine Familie
macht in den Ferien eine Reise
nach Italien.
+ *die großen Ferien*
(= die Ferien im Sommer)
Osterferien: **Ferien an Ostern**
Sommerferien: **Ferien im
Sommer**
Weihnachtsferien: **Ferien an
Weihnachten**

fliegen
**1 Was fliegt, bewegt
sich durch die Luft:**
Welche Vögel können
nicht fliegen?
**2 Wenn du fliegst,
reist du mit dem Flugzeug:**
Bist du schon einmal geflogen?

das Flugzeug, *die Flugzeuge*
**Flugzeuge fliegen. Sie
bringen uns sehr
schnell auch in
Länder, die sehr
weit weg sind:** Bist du schon mal
mit einem Flugzeug geflogen?

glühen
**Wenn etwas glüht,
ist es sehr heiß:** Der
Sand ist glühend heiß.

hoch

Wenn der Weg von unten nach oben weit ist, ist das hoch: Die Möwe fliegt hoch am Himmel, aber Flugzeuge fliegen noch höher. Unser Hotel ist ein hohes Gebäude, aber es ist nicht das höchste im Ort.

die Höhe, *die Höhen*

Die Höhe von etwas sagt dir, wie hoch es ist: Flugzeuge fliegen in großer Höhe. Das Hotel hat eine Höhe von 25 Metern.

die Höhle, *die Höhlen*

Unter der Erde gibt es manchmal Höhlen. Dort ist die Erde hohl: Wir haben am Strand eine Höhle entdeckt.

das Hotel, *die Hotels*

Hotels haben sehr viele Zimmer. In den Zimmern kann man wohnen, wenn man eine Reise macht: Wir wohnen in einem schönen Hotel nicht weit vom Strand.

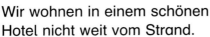

der Koffer, *die Koffer*

In Koffer tut man Sachen, die man auf einer Reise braucht: Mama hat unsere Koffer gepackt.

der Kompass, *die Kompasse*

Kompasse zeigen uns, in welche Richtung wir gerade schauen.

das Meer, *die Meere*

In Meeren ist salziges Wasser. Sie sind sehr groß: Wir fahren im Urlaub oft ans Meer.

die Möwe, *die Möwen*

Möwen sind Vögel, die am Wasser leben.

die Muschel, *die Muscheln*

Am Strand kann man viele Muscheln finden: Ich habe schon viele Muscheln gesammelt.

packen
> Alles, was man auf eine Reise mitnehmen will, tut man in Koffer - man **packt** sie: Ich habe Mama geholfen, die Koffer zu packen.

---

der Pass, *die Pässe*
> **Für Reisen in andere Länder braucht man oft einen Pass. Im Pass steht, wer man ist und wo man wohnt.**
> = *der Reisepass*

---

die Qualle, *die Quallen*
> **Quallen leben im Meer. Sie sind weich und durchsichtig:** Ich mag nicht ins Wasser, wenn viele Quallen da sind.

---

die Reise, *die Reisen*
> **Wenn man an einen Ort fährt, um dort zu bleiben und Spaß zu haben, macht man eine Reise:** Wir machen in den Ferien immer schöne Reisen.

---

reisen
> Wer **reist,** macht eine Reise: Dieses Jahr sind wir nach Italien ans Meer gereist.

der Sand
> **Am Meer gibt es oft sehr viel Sand:** Ich spiele mit meiner neuen Freundin im Sand.

---

die Sandburg, *die Sandburgen*
> **Sandburgen sind kleine Häuser, die man aus Sand zum Spielen baut:** Sandra und ich haben eine Sandburg gebaut.

---

das Schiff, *die Schiffe*
> **Schiffe sind groß und fahren über das Wasser.**

---

die Sonnencreme, *die Sonnencremes*
> **Sonnencremes schützen die Haut vor zu viel Sonne.**

---

der Sonnenhut, *die Sonnenhüte*
> **Sonnenhüte schützen den Kopf vor zu viel Sonne.**

---

das Steuer, *die Steuer*
> **Ein Schiff hat ein Steuer, mit dem man es steuert.**

steuern
> Wenn man ein Schiff oder Flugzeug steuert, bewegt es sich in die Richtung, in die man will.

_____

der Strand, *die Strände*
> Am Rand vom Meer ist der Strand. An vielen Stränden liegt Sand.

_____

tief
> Wenn das Wasser tief ist, kannst du nicht mehr stehen: Die Zwillinge dürfen nicht ins tiefe Wasser, weil sie noch nicht schwimmen können.

_____

die Tiefe, *die Tiefen*
> Wie tief das Wasser ist, sagt dir seine Tiefe: Wo das Schiff jetzt ist, hat das Wasser schon eine Tiefe von 50 Metern.

_____

der Urlaub
> Wenn deine Eltern Urlaub haben, müssen sie nicht arbeiten. Vielleicht machen sie dann eine Reise: Wir fahren im Urlaub oft ans Meer.

vergessen
> Wenn du nicht an etwas denkst, vergisst du es. Dann tust du es nicht oder nimmst es nicht mit: Ich habe meine Bücher zu Hause vergessen und habe jetzt im Urlaub nichts zu lesen.

_____

verlieren
> Wenn man etwas verliert, hat man es nicht mehr: Papa hat gestern am Strand zwei Euro verloren.

_____

der Wohnwagen, *die Wohnwagen*
> Einen Wohnwagen kann man an ein Auto hängen und auf eine Reise mitnehmen. Dann schläft man in ihm, nicht im Hotel.

_____

der Zug, *die Züge*
> Züge bringen uns von einer Stadt zur anderen und halten am Bahnhof. Sie sind oft sehr lang, so dass viele Leute mit ihnen fahren können.

Die Zahlen

0	**null**		16	**sechzehn**	sechzehnte
1	**eins**	erste: *der erste Mensch, die erste Woche, das erste Mal*	17	**siebzehn**	siebzehnte
			18	**achtzehn**	achtzehnte
			19	**neunzehn**	neunzehnte
			20	**zwanzig**	zwanzigste
2	**zwei**	zweite	21	**einundzwan-zig**	einundzwan-zigste
3	**drei**	dritte	30	**dreißig**	dreißigste
4	**vier**	vierte	40	**vierzig**	vierzigste
5	**fünf**	fünfte	50	**fünfzig**	fünfzigste
6	**sechs**	sechste	60	**sechzig**	sechzigste
7	**sieben**	siebte, siebente	70	**siebzig**	siebzigste
8	**acht**	achte	80	**achtzig**	achtzigste
9	**neun**	neunte	90	**neunzig**	neunzigste
10	**zehn**	zehnte	100	**(ein)hundert**	(ein)hundertste
11	**elf**	elfte	101	**(ein)hundert-eins**	(ein)hunderterste
12	**zwölf**	zwölfte			
13	**dreizehn**	dreizehnte	200	**zweihundert**	zweihundertste
14	**vierzehn**	vierzehnte	1000	**(ein)tausend**	(ein)tausendste
15	**fünfzehn**	fünfzehnte			

Die Richtungen

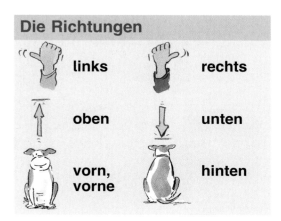

links   rechts

oben   unten

vorn, vorne   hinten

Rund ums Jahr

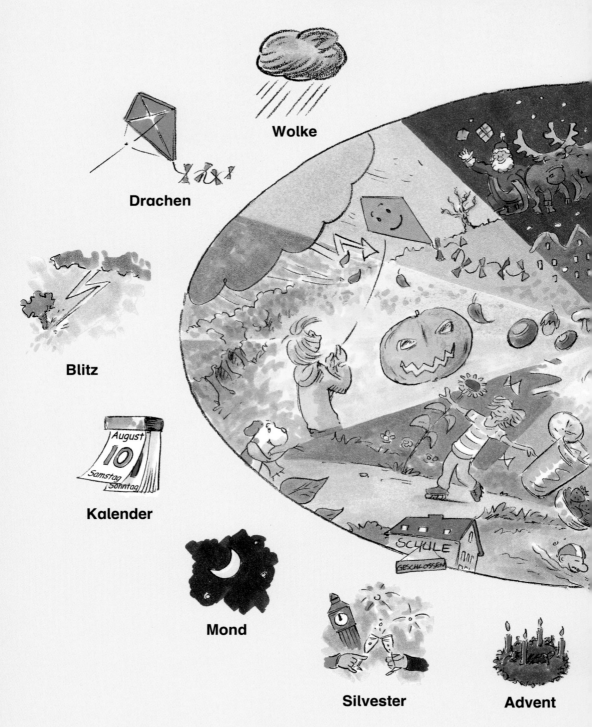

Wolke

Drachen

Blitz

Kalender

Mond

Silvester

Advent

Stern

Wind

Schneemann

Sonne

Karneval

Winter

Regen

Osterhase

der Advent
> Die vier Sonntage vor Weihnachten heißen erster, zweiter, dritter und vierter Advent. Auch die Zeit zwischen erstem Advent und Weihnachten heißt Advent: Im Advent backen wir mit Oma Plätzchen.

der Adventskalender, *die Adventskalender*
> Adventskalender haben 24 kleine Türen. Du öffnest vom 1. bis 24. Dezember jeden Tag eine Tür und findest dann ein kleines Bild oder ein Stück Schokolade: Morgen ist der 1. Dezember – da mache ich die erste Tür am Adventskalender auf.

ändern
> Wenn sich etwas ändert oder du etwas änderst, ist es nicht mehr so, wie es vorher war: Im April ändert sich das Wetter oft sehr schnell.

der Blitz, *die Blitze*
> Blitze sind helle Lichter, die sich bei Gewitter schnell und plötzlich über den Himmel bewegen: Wenn man nach dem Blitz keinen Donner hört, ist das Gewitter sehr weit weg.

blitzen
> Wenn du einen Blitz siehst, hat es geblitzt: Felix bleibt lieber im Haus, wenn es draußen blitzt und donnert.

der Christ, *die Christen*
> Christen glauben, dass Jesus Christus der Sohn Gottes war: Die Christen feiern an Weihnachten die Geburt von Jesus Christus.

der Donner, *die Donner*
> Donner können sehr laut sein. Man hört sie bei einem Gewitter nach einem Blitz: Der Donner hat Hexi erschreckt.

donnern
> Wenn du einen Donner hörst, donnert es: War das gerade ein Flugzeug oder hat es gedonnert?

der Drachen, *die Drachen*
   Drachen macht man aus Papier oder Stoff. Sie fliegen im Wind: Im Herbst lasse ich gerne meinen Drachen fliegen.

draußen
   Du bist draußen, wenn du nicht im Haus bist: Im Winter ist es draußen kalt. Wenn es regnet, gehe ich nicht so gerne nach draußen.

drinnen
   Du bist drinnen, wenn du im Haus bist: Im Winter bleibt Felix lieber drinnen, wo es warm ist. Wollen wir draußen spielen oder nach drinnen gehen?

das Eis
   Wenn es sehr kalt ist, wird Wasser zu Eis: Wenn das Eis auf dem See dick genug ist, gehen wir Schlittschuh laufen.

das Feuerwerk,
   die Feuerwerke
   Feuerwerke sind bunt, hell und laut: An Silvester gibt es immer ein Feuerwerk.

frieren
   Wenn dir kalt ist, frierst du: Ich habe Mütze und Schal angezogen, damit ich nicht so friere.

früher
   Was früher war, ist heute nicht mehr: Opa hat früher als Kind auch gern Schneemänner gebaut.

der Frühling
   Im Frühling wird es draußen wieder warm. Die ersten Blumen blühen und die Bäume bekommen wieder Blätter: Im Winter freue ich mich schon auf den Frühling.

das Gewitter, *die Gewitter*
   Ein Gewitter ist Wetter mit Blitz, Donner, Regen und Wind: Schau mal, die dunklen Wolken. Ob es heute noch ein Gewitter geben wird?

Gott
   Viele Menschen glauben, dass Gott die Erde, Menschen, Tiere und alles andere gemacht hat.

das Grad, *zwei, drei, … Grad*
Temperaturen misst man in
Grad: Wie viel Grad hat das
Wasser? Kann man schon
baden?

heiß
Feuer ist sehr heiß. Im Sommer
ist es meistens heiß. Wenn uns
heiß ist, ziehen wir uns aus und
trinken Sachen aus dem
Kühlschrank: Mir ist es in der
Sonne zu heiß, ich gehe in den
Schatten.

heizen
Wenn es draußen sehr kalt ist,
müssen wir im Haus heizen,
damit uns warm wird: Im Gang
ist es kalt – er wird nicht geheizt.

die Heizung, *die Heizungen*
Mit einer Heizung
macht man die
Wohnung warm,
wenn es kalt ist:
Im Herbst machen
wir die Heizung nur
morgens und abends
an.

der Herbst
Im Herbst wird
es wieder kühler.
Äpfel und Trauben
werden reif und die
Bäume verlieren ihre
Blätter: Nach dem Herbst
kommt der Winter.

der Himmel
Hoch über der
Erde ist der Himmel:
Heute sind nur ein
paar kleine Wolken
am Himmel.

die Hitze
Wenn es sehr heiß ist, ist das
Hitze: Ist das eine Hitze hier!
Adrian, mach doch mal die
Heizung aus.

hohl
Etwas ist hohl, wenn
innen nichts ist:
Der Weihnachtsmann
aus Schokolade ist
innen hohl.

das Jahr, *die Jahre*
Ein Jahr hat 12 Monate. Im Kalender beginnt das Jahr mit dem Januar: Ich bin zehn Jahre alt. In welchem Jahr bist du geboren?

die Jahreszeit, *die Jahreszeiten*
Das Jahr hat vier Jahreszeiten: Frühling, Sommer, Herbst und Winter: Welche Jahreszeit hast du am liebsten?

der Kalender, *die Kalender*
Kalender zeigen uns die Tage, Wochen und Monate des Jahres: Schau doch mal auf den Kalender, welchen Tag haben wir heute?

kalt
Eis ist sehr kalt. Im Winter ist es draußen kalt. Wenn uns kalt ist, trinken wir gerne heißen Tee und ziehen warme Kleider an: Heute ist es viel kälter als gestern.

die Kälte
Wenn es kalt ist, ist das Kälte: Bei dieser Kälte mag ich nicht spazieren gehen.

der Karneval
Im Januar und Februar feiern wir in Deutschland Karneval. Wir verkleiden uns und haben viel Spaß: Letztes Jahr war ich im Karneval eine Hexe, dieses Jahr gehe ich als Clown.
= der Fasching

kühl
Wenn etwas kühl ist, ist es ein bisschen kalt: Es ist etwas kühl heute, ich brauche eine Jacke.

der Lebkuchen, *die Lebkuchen*
Lebkuchen essen wir besonders in der Zeit vor Weihnachten gern.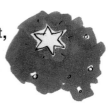

leuchten
Wenn etwas leuchtet, ist es hell: In der Nacht leuchten die Sterne am Himmel.

der Monat, *die Monate*
Die Monate sind die zwölf Teile des Jahres, von Januar bis Dezember: Der Februar ist der kürzeste Monat im Jahr. Jan ist 11 Monate alt.

monatlich

Was monatlich geschieht, geschieht jeden Monat: Hexis Futter kostet monatlich ungefähr 30 Euro.

der Mond

Den Mond kann man nachts oft am Himmel sehen. Manchmal ist er rund und manchmal dünn wie eine Banane: Heute Nacht scheint der Mond sehr hell.

der Muttertag

Am zweiten Sonntag im Mai ist Muttertag, ein Fest für Mütter: Ich habe Mama zum Muttertag ein Bild und Blumen geschenkt.

der Nebel

Wenn Nebel ist, ist die Luft sehr feucht und man kann nicht weit sehen: Ich kann Hexi im Nebel schlecht sehen.

neblig

Wenn Nebel ist, ist es neblig: Im Herbst ist es morgens oft neblig.

der Nikolaus, *die Nikoläuse*

Kleine Kinder glauben, dass am 6. Dezember der Nikolaus kommt und ihnen kleine Geschenke bringt: Ich habe einen Nikolaus aus Schokolade bekommen.

das Osterei, *die Ostereier*

An Ostern gibt es bunte Ostereier von Hühnern oder aus Schokolade, die die Kinder suchen dürfen: Die Ostereier, die ich finde, darf ich auch essen.

der Osterhase, *die Osterhasen*

Kleine Kinder glauben, dass der Osterhase die Ostereier bringt: Meine Brüder und ich haben Osterhasen aus Schokolade bekommen.

Ostern

Im März oder April feiern wir Ostern. Es gibt bunte Eier und Süßigkeiten für die Kinder: An Ostern liegt manchmal noch Schnee.

das Plätzchen, *die Plätzchen*
Im Advent backen wir
süße Plätzchen für
Weihnachten: Diese
Plätzchen habe ich
selbst gebacken.

der Regen
Regen ist Wasser,
das vom Himmel
fällt: Bei Regen
spiele ich lieber im Haus.

der Regenbogen, *die Regenbogen*
Manchmal sieht man
nach dem Regen
bunte Regenbogen
am Himmel: Ein
Regenbogen hat viele Farben.

der Regenschirm,
die Regenschirme
Unter einem Regenschirm
bleibst du trocken, wenn
es regnet.

regnen
Wenn Wasser
vom Himmel fällt,
regnet es: Es
fängt zu regnen an.
Gut, dass ich einen Regenschirm
habe.

der Schatten
Wenn die Sonne scheint,
ist es im Schatten nicht
so hell und heiß: Der
Sonnenhut macht mir
Schatten im Gesicht.

scheinen
Wenn die Sonne
scheint, ist es
hell und man
sieht sie am
Himmel: Gestern schien die
Sonne und es war schön warm.

schmücken
Man schmückt etwas
mit schönen Sachen:
Dieses Jahr darf ich
den Weihnachtsbaum
schmücken.

der Schnee
Schnee ist weiß und
kalt. Er fällt im Winter
vom Himmel: Ich
spiele gern im Schnee.

der Schneeball, *die Schneebälle*
Aus Schnee kann man
Schneebälle machen
und dann mit ihnen
werfen: Was will Adrian
mit dem Schneeball machen?

der Schneemann,
die Schneemänner
**Wenn es genug Schnee
gibt, bauen wir einen**
Schneemann: Wir
haben einen großen
Schneemann gebaut.

schneien
**Wenn Schnee vom
Himmel fällt, schneit
es:** Hexi mag es,
wenn es schneit.

schön
**Wenn du magst, wie etwas ist,
findest du es schön. Das Wetter
ist schön, wenn die Sonne
scheint:** Wenn es morgen schön
wird, gehen wir baden. Vielleicht
kommt Aischa auch mit, das wäre
schön!

Silvester
**Silvester ist der
letzte Tag im
Jahr. Wir feiern
und machen in
der Nacht ein
Feuerwerk:**
An Silvester gehe ich sehr spät
ins Bett.

der Sommer
**Im Sommer wird es oft
richtig heiß. Wir
bekommen
Ferien und
gehen gerne
baden:** Nach
dem Sommer kommt der Herbst.

die Sonne
**Am Tag ist die
Sonne am Himmel.
Sie macht, dass es
hell und warm ist:**
Mama sitzt gern in der Sonne.

der Sonnenschein
**Wo das Licht der Sonne ist, ist
Sonnenschein:** Mama sitzt gern
im Sonnenschein, Papa bleibt
lieber im Schatten.

sonnig
**Wenn keine Wolken
vor der Sonne sind,
ist es sonnig:** Heute
soll es sonnig und warm
werden.

der Stern, *die Sterne*
**Sterne sind die
kleinen Lichter,
die nachts am
Himmel leuchten:**
Wie heißt dieser helle Stern da?

der Sturm, *die Stürme*
Sturm **ist sehr starker Wind:**
Im Herbst gibt es oft Stürme.

stürmisch
Wenn es einen Sturm gibt, ist das Wetter stürmisch**:** Wenn es stürmisch ist, bleibt Felix lieber im Haus.

die Temperatur, *die Temperaturen*
Wie kalt oder warm etwas ist, fühlst du an seiner Temperatur**:**
Bei welcher Temperatur wird Wasser zu Eis?

das Thermometer,
die Thermometer
Ein Thermometer **misst Temperaturen:**
Wie viel Grad sind es auf dem Thermometer?

warm
Wenn es warm **ist, frierst du nicht:** Mir ist kalt, ich muss mich wärmer anziehen. Ist das Wasser warm genug zum Baden?

Weihnachten
In Deutschland feiern wir Weihnachten **am 24., 25. und 26. Dezember. Am 24. Dezember bekommen alle abends ihre Geschenke:** Was wünschst du dir zu Weihnachten?

der Weihnachtsbaum**,**
die Weihnachtsbäume
An Weihnachten stellen wir eine Fichte oder Tanne als Weihnachtsbaum **ins Wohnzimmer:**
Ich darf den Weihnachtsbaum schmücken.
= der Christbaum

der Weihnachtsmann**,**
die Weihnachtsmänner
Kleine Kinder glauben, dass der Weihnachtsmann **an Weihnachten die Geschenke bringt:** Was wünschst du dir vom Weihnachtsmann?

das Wetter
Wenn du fragst, wie das Wetter **wird, willst du wissen, ob es draußen kalt oder warm sein wird, ob es Sonne, Wolken, Regen, Wind oder Schnee geben wird:** Im November ist oft schlechtes Wetter.

der Wetterbericht,
die Wetterberichte
Wetterberichte in
Fernsehen, Radio
und Zeitungen

sagen uns, wie das Wetter wird:
Der Wetterbericht sagt, dass es
morgen nicht so schön wird.

---

der Wind, *die Winde*
Wenn Wind ist,
bewegt sich die
Luft: Gibt es heute
genug Wind für
meinen Drachen?

---

windig
Wenn es windig ist, fühlst du,
wie sich die Luft bewegt: Heute
ist ein windiger Tag.

---

der Winter
Im Winter ist es bei
uns kalt. Die meisten
Bäume haben keine
Blätter und manchmal
schneit es: Nach dem
Winter kommt der Frühling.

die Woche, *die Wochen*
Eine Woche hat 7 Tage: Wir
haben im Sommer sechs Wochen
Ferien.

---

das Wochenende,
die Wochenenden
Am Samstag und Sonntag ist
Wochenende. Wir haben keine
Schule, und viele Leute haben
frei: Am Wochenende wollen wir
mit Papa schwimmen gehen.

---

der Wochentag, *die Wochentage*
Die Wochentage sind die Tage
der Woche: Welchen Wochentag
haben wir heute – Mittwoch oder
Donnerstag?

---

die Wolke, *die Wolken*
Wolken sind weiß oder
grau. Regen und
Schnee fallen aus
Wolken zur Erde:
Oh, da kommt eine
dunkle Wolke.

Die Monate

der Januar	der Juli
der Februar	der August
der März	der September
der April	der Oktober
der Mai	der November
der Juni	der Dezember

Die Wochentage

der Montag	am Montag = *montags*
der Dienstag	am Dienstag = *dienstags*
der Mittwoch	am Mittwoch = *mittwochs*
der Donnerstag	am Donnerstag = *donnerstags*
der Freitag	am Freitag = *freitags*
der Samstag	am Samstag = *samstags*
der Sonnabend	am Sonnabend = *sonnabends*
der Sonntag	am Sonntag = *sonntags*

Gegensätze, Farben, Formen

blau

braun

gelb

grau

grün

lila

orange

Rechteck

Quadrat

Kreuz

Kreis

Dreieck

weiß

rosa

rot

schwarz

Gegensätze

alt
Opa ist alt. Er ist älter als Adrian.

jung
Adrian ist jung. Er ist jünger als Opa.

alt
Der Traktor ist alt.

neu
Das Auto ist neu.

außen
Die Tasse ist außen blau.

innen
Der Weihnachtsmann ist innen hohl.

dick
Dieses Tier ist dick.

dünn
Dieses Tier ist dünn.

eckig
Die Kiste ist eckig.

rund
Der Ball ist rund.

eng
Mamas Kleid ist eng.

weit
Mein Pullover ist weit.

ganz
Das ist ein ganzer Apfel.
Der Apfel ist ganz.

halb
Das ist ein halber Apfel.

groß
Die Kuh ist groß.
Sie ist viel größer als der Hamster.

klein
Der Hamster ist klein.
Er ist viel kleiner als die Kuh.

gut
Ich finde es gut, wenn Papa und Mama mit uns baden gehen. Pizza schmeckt gut.

schlecht
Ich finde es schlecht, dass meine Eltern so wenig Zeit für uns haben. Saure Milch schmeckt schlecht.

hart
Die Schale der Nuss ist hart.

weich
Das Kissen ist weich.

kurz
Paula hat kurze Beine.

lang
Ist das ein langer Hals!

kurz
Eine Minute ist kurz. Komm doch mal kurz zu mir.

lang, lange
Ein Jahr ist lang. Der Film dauert lange.

langsam
Schildkröten sind langsam.

schnell
Pferde sind schnell.

laut
Mein Wecker ist laut.

leise
Die Maus ist leise.

leicht
Der Brief ist leicht.

schwer
Die Tüte ist schwer.

schmal
Der Bürgersteig ist schmal.

breit
Die Straße ist breit.

voll
Das Glas ist voll.

leer
Jetzt ist das Glas leer.

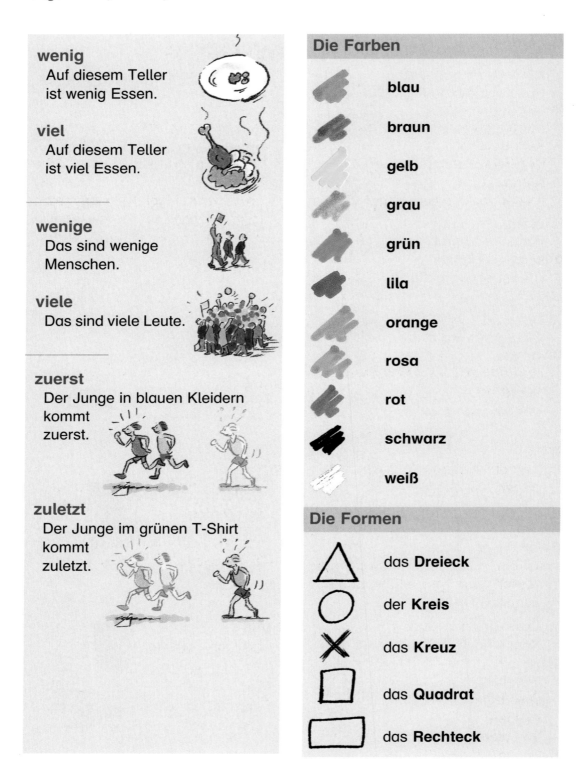

wenig
Auf diesem Teller
ist wenig Essen.

viel
Auf diesem Teller
ist viel Essen.

wenige
Das sind wenige
Menschen.

viele
Das sind viele Leute.

zuerst
Der Junge in blauen Kleidern
kommt
zuerst.

zuletzt
Der Junge im grünen T-Shirt
kommt
zuletzt.

Die Farben

blau

braun

gelb

grau

grün

lila

orange

rosa

rot

schwarz

weiß

Die Formen

das **Dreieck**

der **Kreis**

das **Kreuz**

das **Quadrat**

das **Rechteck**

Funktionswörter

ab

Ab morgen ist wieder Schule.
Ab ins Bett mit dir!
Den Film darf man erst ab 16 sehen.
An der Jacke ist ein Knopf ab.

aber

Das ist ein schönes Rad, aber teuer.

alle

Sind alle da? Ja, es sind alle Kinder da.

alles

Hast du alles (= alle Sachen) aufgeräumt?

als

Ich bin größer als Adrian.
Als ich nach Hause kam, freute sich Hexi sehr.

am

Wir sitzen am Tisch.
Oma bäckt am Sonntag einen Kuchen.
Von allen Tagen ist der Samstag am schönsten.

an

Frau Müller schreibt Aufgaben an die Tafel.
Ich kann nicht lesen, was an der Tafel steht.
Ich schreibe einen Brief an meine Tante Barbara.
Das Licht ist an.

ans

Im Urlaub fahren wir ans Meer.

auch

Ich habe Hunger. Du auch?

auf

Ich stelle die Teller auf den Tisch.
Das Essen steht schon auf dem Tisch.
Ich freue mich auf Samstag.
Ist das Schwimmbad schon auf?

aufs

Felix ist aufs Dach geklettert.

aus
Ich nehme meine Bücher **aus** der Tasche.
Joschko kommt **aus** Bosnien.
Wann ist heute die Schule **aus**.
Das Licht ist **aus**.

außer
Ich gehe jeden Tag mit Hexi spazieren, **außer** wenn ich krank bin.

bei
Hexi, bleib **bei** mir!

beide
Aischa und ich, wir spielen **beide** im Garten.

beim
Mama ist **beim** Einkaufen.

besonders
Ich lese gern, **besonders** Bücher über Pferde.

bestimmt
Bestimmt kennst du das Lied.
= *sicher*

bevor
Bevor ich spielen darf, muss ich meine Hausaufgaben machen.

bis
Wir haben heute **bis** 12 Uhr Schule.
Wie weit ist es noch **bis** zum Strand?

bisschen
Ich bin ein **bisschen** müde.

da
Hallo – **da** bin ich!
Ist noch Milch **da?**
Ich wollte gerade in den Garten gehen, **da** fing es zu regnen an.

damit
Ich ziehe eine Mütze an, **damit** ich nicht friere.

danach
Ich muss jetzt lernen, **danach** habe ich Zeit.

dann
Erst gehe ich ins Bad, **dann** gibt es Frühstück.

darum

Es ist kalt draußen, **darum** ziehe ich eine Jacke an.
= *deshalb, deswegen*

dass

Aischa hat gesagt, **dass** sie kommt.
Es ist klar, **dass** ich dir helfe.

dein

Ist das **dein** Bruder? Das ist nicht mein Buch, sondern **deines**. Was machen **deine** Eltern?

denn

Ich mag Joschko, **denn** er ist immer so fröhlich.

dieser, diese, dieses

Gefällt dir **diese** CD oder willst du eine andere hören? **Dieser** Käse schmeckt gut. Kennst du **dieses** Buch?

doch

Nimm dir **doch** ein Stück Kuchen!
Du kommst **doch** heute Nachmittag, oder?
„Ich kann das nicht." – „**Doch**, bestimmt!"

dort

Wir waren im Urlaub am Meer. **Dort** war es sehr schön.

durch

Wir gingen **durch** den Wald.

eigentlich

Was macht Adrian **eigentlich**?
Eigentlich müsste ich lernen, aber ich mag nicht.

…einander

An der Haltestelle stellen wir uns alle einer hinter den anderen: Dann stehen wir in einer Reihe **hintereinander**.
Wollen wir **miteinander** spielen? Ich stelle meine Bücher **nebeneinander** ins Regal.

einmal

Jeder Schmetterling war **einmal** eine Raupe.
Was willst du später **einmal** werden?
Er hat nicht **einmal** danke gesagt.
Ich möchte dich **einmal** etwas fragen.
= *mal*

etwas

Ich muss Hexi **etwas** zu fressen geben.
Soll ich dir **etwas** Lustiges erzählen?
Ich bin **etwas** müde.

---

euer

Ist **euer** Lehrer nett? Ist **eure** Klasse so groß wie unsere?

---

fast

Warte auf mich, ich bin schon **fast** fertig!
= *beinahe*

---

für

Das ist ein Geschenk **für** meinen Papa.

---

ganz

Ich bin heute **ganz** früh aufgestanden.
= *sehr*
Hast du deinen Teller **ganz** leer gegessen?
= *völlig*

---

gar

Ich will nicht ins Bett, ich bin noch **gar** nicht müde.
= *überhaupt*

gegen

Die Medizin hat gut **gegen** die Schmerzen geholfen.

---

genug

Jan ist nicht alt **genug** für die Schule.
Ich habe nicht **genug** Geld, um dieses Buch zu kaufen.

---

her

Her damit – das gehört mir!
Das ist schon lange **her**.

---

hier

Hier ist Hannah, kann ich Joschko sprechen?
Von **hier** bis zum Fluss sind es nur 100 Meter.

---

hin

Wo ist denn Hexi **hin?** Gerade war sie noch da.
Bis Weihnachten ist nicht mehr lange **hin**.

---

hinter

Papa geht **hinter** das Haus.
Jetzt ist er im Garten **hinter** dem Haus.

ihr

Unsere Nachbarn sind Türken. **Ihr** Haus steht neben unserem. **Ihre** Tochter Aischa ist meine Freundin. Unser Garten ist größer als **ihrer**.

im

Oma ist **im** Garten.
Im November gibt es oft Sturm.

immer

Hexi schläft **immer** bei mir im Zimmer.
Ich werde **immer** größer und klüger.
In Italien war es so schön, ich wäre gern für **immer** dort geblieben.

in

Papa ist **in** der Küche.
Kommst du auch **in** die Stadt?
In zwei Wochen sind Ferien.

ins

Gehst du auch gern **ins** Kino?

ja

„Gehst du gern ins Kino?" – „**Ja!**"

jeder, jede, jedes

Das ist so einfach, das kann doch **jeder!** Heute habe ich **jede** Aufgabe richtig gerechnet. Ich gehe **jeden** Tag mit Hexi spazieren.

jemand

Es hat geklingelt, es ist **jemand** an der Tür. Wenn du **jemandem** wehtust, musst du dich bei ihm entschuldigen.

kein

Joschko hat **kein** Geld mehr. Ich habe auch **keines**. Aischa hat heute **keine** Zeit zum Spielen.

keiner

Was ich in mein Tagebuch schreibe, darf **keiner** lesen. Das darfst du **keinem** erzählen.
= *niemand*

...mal

Ich habe die CD erst **einmal** gehört, Aischa schon **dreimal**. Mama hat den Zwillingen schon mindestens **zehnmal** gesagt, sie sollen leise sein.

man
Wie sagt **man**, wenn man etwas geschenkt bekommt?

manche
Die meisten Vögel können fliegen, nur **manche** nicht.

manchmal
Mama und Papa gehen **manchmal** ins Theater.
= *ab und zu, hin und wieder*

mehr
Die 4b hat **mehr** Schüler als die 4a.
Du musst **mehr** üben, dann lernst du es noch.
Peter wohnt hier nicht **mehr**.

mehrere
Ich habe Aischa **mehrere** Bücher geliehen.
= *ein paar, einige*

mein
Mein Hund heißt Hexi. Aischa und Joschko sind **meine** Freunde. Ist das dein Stift oder **meiner?**

meisten
Die **meisten** Kinder essen gern Süßigkeiten.

meistens
Ich gehe oft schwimmen, **meistens** im Schwimmbad, manchmal auch am See.

mindestens
Paula ist sehr alt, **mindestens** schon 50 Jahre.

mit
Gehst du **mit** mir ins Kino?
Wir wohnen in einem Haus **mit** Garten.
In der Schule schreiben wir **mit** Füllern.

nach
Fährt dieser Bus **nach** Adorf?
Was machst du **nach** der Schule?
Es ist zehn **nach** eins (= 13.10 Uhr).

neben
Das Kino ist **neben** der Bank.
Aischa, setzt du dich **neben** mich?

nein

„Gehst du mit mir ins Kino?" –
„**Nein**, keine Zeit."

nicht

Ich kann heute **nicht** zu Aischa
gehen.
Der Aufsatz ist **nicht** schlecht
(= ganz gut).

nichts

Wir haben lange **nichts** von Tante
Barbara gehört.
„Ich habe es vergessen." – „Das
macht **nichts**." (= Das ist nicht
schlimm)

nie

Ich werde das **nie** lernen!
Ich war noch **nie** in der Türkei.
Jan schläft **nie** ohne seinen
Teddy.
= niemals

noch

Ich habe nur **noch** 50 Cent.
Regnet es **noch**?
Glaubst du, ich werde das **noch**
lernen?

nur

Das kostet **nur** einen Euro, das ist
nicht viel.
Es dauert **nur** noch eine Minute.
Was hast du denn **nur**? Bist du
böse auf mich?
= bloß

ob

Mama fragt, **ob** wir die Zähne
geputzt haben.

oder

Kommst du **oder** kommst du
nicht?
Du kommst doch, **oder**?

oft

Adrian spielt **oft** Fußball.
= häufig

ohne

Es ist kalt draußen, geh nicht
ohne Jacke aus dem Haus.

richtig

Wenn es **richtig** kalt wird, können
wir auf dem See Schlittschuh
laufen.
= sehr

sehr

Unser Garten ist **sehr** schön.

---

sein

Daniel sucht **sein** Kissen. Papa liest **seine** Zeitung. Das Baby liegt in **seinem** Bett und schläft.

---

seit

Ich bin **seit** sieben Uhr wach.

---

selbst

Das Bild hat Joschko **selbst** gemalt.

---

sich

Der Bus hat **sich** verspätet.
Mama wäscht **sich** die Hände.
Die Zwillinge streiten **sich**.

---

so

Es ist **so** heiß, dass ich schwitze.
Adrian ist nicht **so** stark wie Daniel.
Es ist **so**, wie ich gesagt habe.
So ein Glück!
So, jetzt bin ich fertig.

---

sondern

Ich bin kein Junge, **sondern** ein Mädchen.

sonst

Ich muss jetzt nach Hause, **sonst** schimpft Mama.
Am Samstag muss ich nicht so früh ins Bett wie **sonst**.
Enten und Möwen sind Vögel.
Welche Vögel kennst du **sonst** noch?

---

trotzdem

Ich habe heute lange geschlafen, aber ich bin **trotzdem** noch müde.

über

Über meinem Schreibtisch hängt eine Lampe.
Sei vorsichtig, wenn du **über** die Straße gehst.
Wir müssen oft **über** Hexi lachen.
Das Buch kostet **über** 10 Euro.
Es kostet genau 10 Euro und 90 Cent.

---

um

Warum hast du einen Schal **um** den Hals?
In der Geschichte geht es **um** eine Hexe (= Die Geschichte ist über eine Hexe).
Aischa kommt **um** drei Uhr zu mir.
Ich nehme die Medizin, **um** schnell gesund zu werden.

ums

Hexi läuft im Kreis rund **ums** Haus.

und

Da kommen Adrian **und** Daniel.
Es blitzte **und** dann donnerte es.

unser

Unser Vater sammelt Briefmarken, **unsere** Mutter liest gern. Sind in eurer Klasse mehr Kinder als in **unserer?**

unter

Ich sitze gern **unter** einem Baum im Schatten.
Nach dem Sport gehe ich **unter** die Dusche.
Kinder **unter** 12 Jahren dürfen nicht in diesen Film.

vielleicht

„Kommst du heute Nachmittag?" – „Ich weiß noch nicht, **vielleicht.**"
Adrian, du bist **vielleicht** dumm!

voller

Mein Aufsatz ist **voller** Fehler.

von

Der Bus fährt **von** der Schule zum Bahnhof.
Von 9 bis 10 haben wir Rechnen.
Die CD ist **von** Aischa.
Willst du mal **von** meinem Brot beißen?

vor

Vor dem Haus steht ein Baum.
Halte dir die Hand **vor** den Mund, wenn du hustest.
Wir müssen uns **vor** dem Essen die Hände waschen.
Es ist zehn **vor** eins
(= 12.50 Uhr).

vorbei

Die Spritze hat wehgetan, aber es war ganz schnell **vorbei.**

vorher

Heute darf ich mit Aischa ins Schwimmbad. Ich muss **vorher** nur noch meine Hausaufgaben machen.

während

Ich darf keine Musik hören, **während** ich Hausaufgaben mache.

wann

Wann sind endlich Ferien?
Wann bist du geboren?

warum

Ich frage mich, **warum** Adrian und Daniel so oft streiten.

was

Was wirst du heute Nachmittag machen?
So **was** Dummes habe ich noch nie gehört!

weg

Ist Papa schon **weg?**
Der Bahnhof ist nicht weit **weg** von hier.

wegen

Wir können **wegen** des Regens nicht in den Garten.

weil

Joschko kann nicht kommen, **weil** er krank ist.

welche, welcher, welches

Welche Farbe haben deine Haare? **Welcher** Monat ist der kürzeste? Hier sind zwei Bücher. **Welches** möchtest du gern lesen? **Welche** Tiere magst du am liebsten?

wenn

Wenn Tante Barbara kommt, freue ich mich immer sehr.
Wir gehen morgen schwimmen, **wenn** das Wetter schön wird.

wie

Ich wüsste gern, **wie** das Wetter morgen wird.
Wie heißt du?
Wie alt bist du? **Wie** viel wiegst du? Hast du auch so viele CDs **wie** ich?

wieder

In den Ferien waren wir **wieder** am Meer.
Adrian und Daniel streiten ja schon **wieder!**

wo

Weißt du, **wo** mein Buch ist?

wofür

Kannst du mir sagen, **wofür** ich das alles lernen muss?

woher

Weißt du noch, **woher** Joschkos Familie kommt?

wohin

Wohin fahren wir im Sommer in Urlaub?

zu

Aischa kommt heute Nachmittag **zu** mir.
Der Tee ist noch **zu** heiß zum Trinken.
Ist das Wasser schon warm genug, um **zu** schwimmen?
Ist der Supermarkt schon **zu?**

zum

Mama muss noch **zum** Supermarkt.
Zum Glück hat sich Jan nicht wehgetan.
Hast du Lust **zum** Spielen?

zur

Wie weit ist der Weg **zur** Schule?

zurück

Ist Papa schon von der Arbeit **zurück?**

zwischen

Im Kino saß Aischa **zwischen** mir und Joschko.
Aischa hat sich **zwischen** mich und Joschko gesetzt.

Stichwortverzeichnis

E

Ecke 109
eckig 168
ehrlich 53
Ei 73
eigen 27
eigentlich 173
ein 31
... einander 173
eine 31
einfach 86
Eingang 134
einige 176
einkaufen 135
Einkaufswagen 137
einladen 140
Einladungskarte 141
einmal 76, 173
ein paar 176
einschalten 27
einschlafen 62
einsteigen 110
Einzahl 83
Eis 149, 157
Eltern 8
empfinden 53
empfindlich 53
Ende 97
endlich 83
eng 168
entdecken 149
Ente 126
entfernen 73
Entfernung 97, 115
entschuldigen 53
entwickeln 118
Entwicklung 119
er 13
Erbse 73
Erdbeere 73
Erde 119
Ergebnis 86
erklären 83
erlauben 97

Erlaubnis 97
erleben 149
Erlebnis 149
ernähren 73
ernten 126
erschrecken 53
erst 63
erwachsen 8
erwarten 53
Erwartung 54
erzählen 97
Erzählung 97
es 13
essen 73
Essen 63
etwa 131
etwas 174
euer 174
Eule 127
Euro 134
Europa 17

F

Fabrik 110
Fach 83
fahren 97
Fahrrad 102
Fahrzeug 110
fallen 127
falsch 83
Familie 8
fangen 98
Farbe 34
Fasching 159
fast 174
Fehler 84
fehlerfrei 88
feiern 140
fein 73
Feld 127
Fenster 17
Ferien 149
Fernsehapparat 17

fernsehen 63
Fernsehen 63
Fernseher 17
fertig 84
Fest 140
fett 73
Fett 73
feucht 119
Feuchtigkeit 119
Feuer 98
Feuerwehr 110
Feuerwerk 157
Fichte 119
Fieber 43
Film 98
Filzstift 90
finden 34, 54
Finger 44
Fisch 74
flach 27
Flasche 134
Fleiß 84
fleißig 84
fliegen 149
fließen 110
Flügel 127
Flugzeug 149
Flur 18
Fluss 110
flüssig 119
Flüssigkeit 119
Frage 84
fragen 84
Frau 8
frei 98, 127
freihaben 98
Freiheit 127
Freizeit 98
fremd 110
fressen 74
freuen 54
Freund 17
Freundin 17
freundlich 57
Frieden 18
friedlich 54

Q

quaken 129
Qual 57
quälen 57
Qualle 151
Quatsch 57
Quelle 129

R

Rad 102
Radiergummi 88
Radio 29
Rand 88
Rasen 20
raten 143
Rätsel 102
Raum 20
Raupe 129
rechnen 88
Rechner 26
Rechnung 88
recyceln 121
Recycling 121
reden 88
Regal 29
Regen 161
Regenbogen 161
Regenschirm 161
regnen 161
Reh 129
reich 21
reif 129
Reihe 21
Reihenhaus 21
Reise 151
reisen 151
Reisepass 151
reißen 88
reiten 129
rennen 102
Restaurant 113

richtig 88, 177
Richtung 113
riechen 47, 77
Ring 36
Rock 36
rollen 102
Rücken 47
Rückenschmerzen 47
Rucksack 36
rufen 11
Ruhe 88
ruhig 57
rund 168

S

Sache 29
Saft 77
sagen 88
Salat 77
Salz 77
salzig 77
Samen 122
sammeln 102
Sammlung 102
Sand 151
Sandale 36
Sandburg 151
Satz 88
sauber 129
sauer 78
Schachtel 136
Schaf 130
schaffen 102
Schal 36
Schale 78
Schall 122
schalten 29
Schalter 113
scharf 143
Schatten 161
schauen 58
Schein 136
scheinen 161

schenken 143
Schere 88
schieben 136
schief 29
schießen 102
Schiff 151
Schildkröte 11
schimpfen 58
Schinken 78
Schlafanzug 37
schlafen 65
Schlafzimmer 23
schlagen 58
schlank 47
schlau 55
schlecht 52, 169
schließen 136
schlimm 47
Schlittschuh 103
Schluss 97
Schlüssel 21
schmal 169
schmecken 47, 78
Schmerz 47
schmerzen 49
Schmetterling 130
schmücken 161
Schmutz 130
schmutzig 130
Schnecke 130
Schnee 161
Schneeball 161
Schneemann 162
schneiden 89
schneien 162
schnell 169
Schnitzel 78
Schnupfen 47
Schokolade 78
schon 66
schön 162
Schrank 29
schrecklich 58
schreiben 89
Schreibtisch 30
schreien 58